사고력을 키우는

팩토 연산

매스티안

구성과 특징

1주 연산 원리 학습

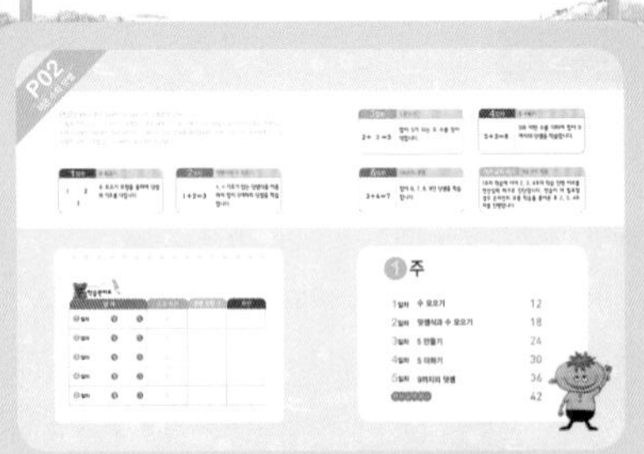

붙임 딱지 등의 활동으로
연산 원리를 재미있게 체득

2주 연산 응용 학습

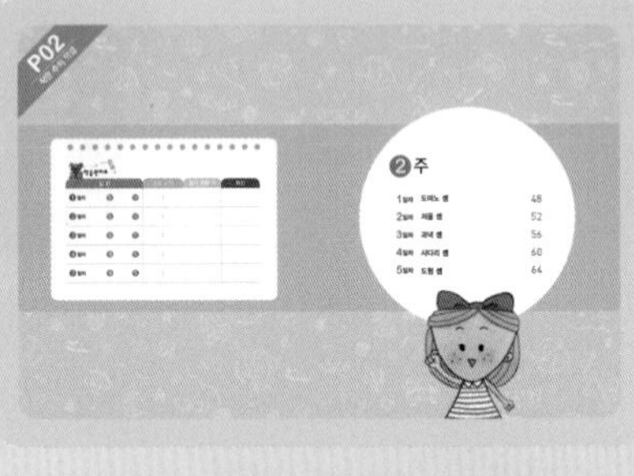

연산 원리를 응용한 문제를
풀어 보며 문제해결력 신장

정답

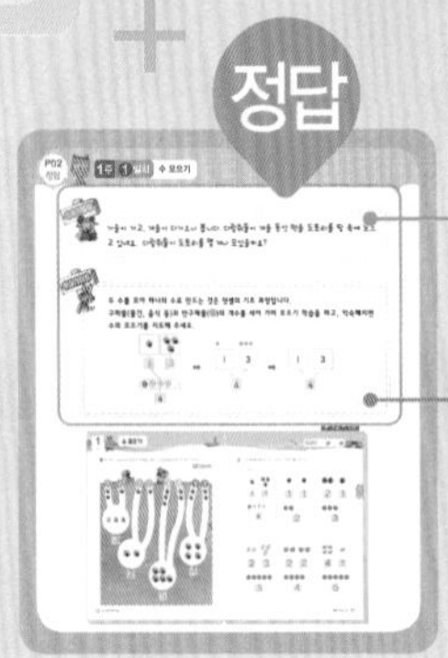

스토리텔링 아이와 자연스럽게 학습을 시작할 수 있도록 스토리텔링 방식 도입

학습가이드 아이들이 배우는 연산 원리에 대한 학습가이드 제시

연산 실력 체크 진단 + 보충 온라인 보충 학습

2~4주차 사고력 연산을
학습하기 전에 연산 실력 체크

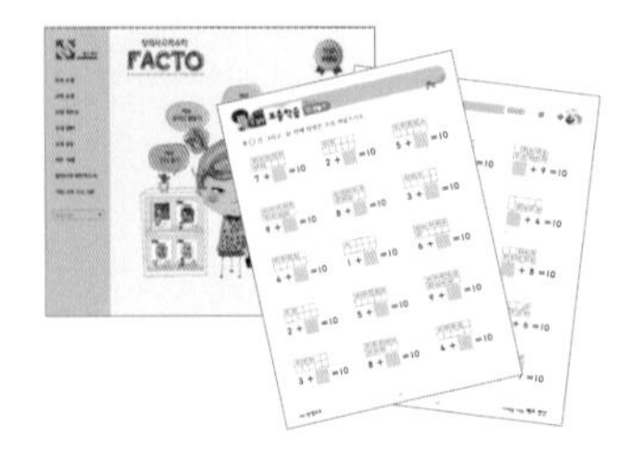

매스티안 홈페이지에서 제공하는
보충 학습으로 연산 원리 다지기

온라인 활동지

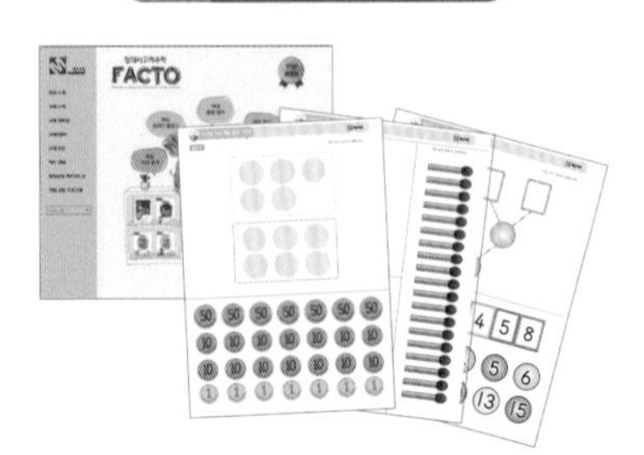

매스티안 홈페이지에서 제공하는
활동지로 사고력 연산 이해도 향상

4주 사고력 학습 2

연산 원리를 바탕으로 한 사고력 연산
문제를 풀어 보며 수학적 사고력과 창의력 향상

3주 사고력 학습 1

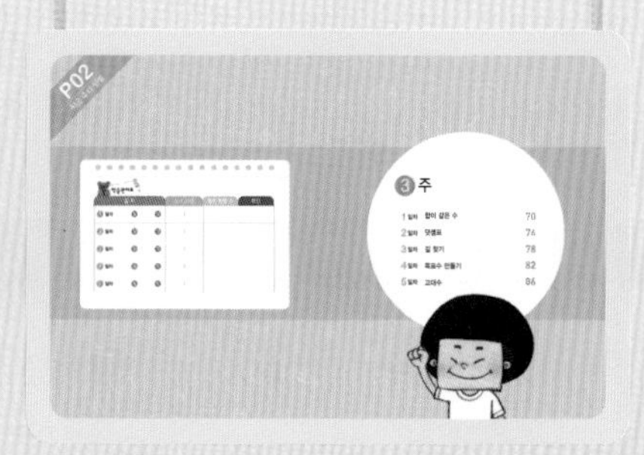

연산 원리를 바탕으로 한 사고력 연산
문제를 풀어 보며 수학적 사고력과 창의력 향상

3, 4주차 1일 학습 흐름

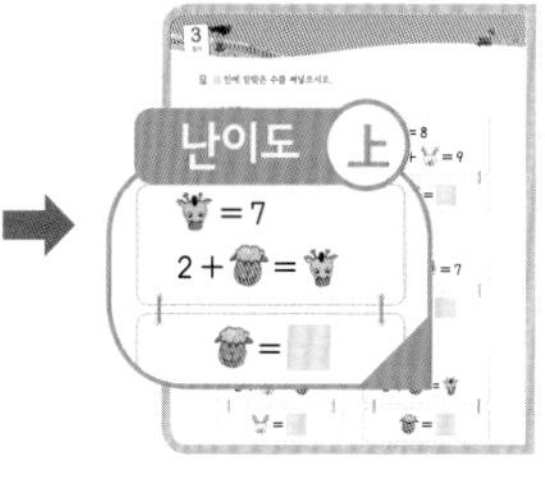

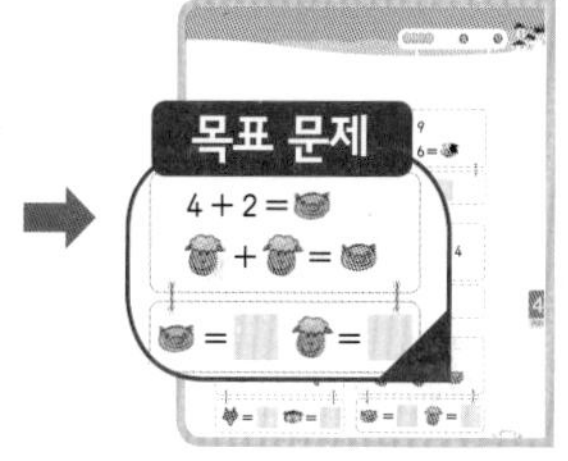

특정 주제를 쉬운 문제부터 목표 문제까지 차근차근
학습할 수 있도록 설계 되어 있어 자기주도학습 가능

App Game 팩토 연산 SPEED UP

앱스토어에서 무료로 다운받은
팩토 연산 SPEED UP으로 덧셈, 뺄셈,
곱셈, 나눗셈의 연산 속도와 정확성 향상

부록 칭찬 붙임 딱지, 상장

학습 동기 부여를 위한
칭찬 붙임 딱지와 연산왕 상장

사고력을 키우는 팩토 연산 시리즈

P | 권장 학년 : 7세, 초1 |

권별	학습 주제	교과 연계
P01	10까지의 수	❶학년 1학기
P02	작은 수의 덧셈	❶학년 1학기
P03	작은 수의 뺄셈	❶학년 1학기
P04	작은 수의 덧셈과 뺄셈	❶학년 1학기
P05	50까지의 수	❶학년 1학기

A | 권장 학년 : 초1, 초2 |

권별	학습 주제	교과 연계
A01	100까지의 수	❶학년 2학기
A02	덧셈구구	❶학년 2학기
A03	뺄셈구구	❶학년 2학기
A04	(두 자리 수)+(한 자리 수)	❷학년 1학기
A05	(두 자리 수)−(한 자리 수)	❷학년 1학기

B | 권장 학년 : 초2, 초3 |

권별	학습 주제	교과 연계
B01	세 자리 수	❷학년 1학기
B02	(두 자리 수)+(두 자리 수)	❷학년 1학기
B03	(두 자리 수)−(두 자리 수)	❷학년 1학기
B04	곱셈구구	❷학년 2학기
B05	큰 수의 덧셈과 뺄셈	❸학년 1학기

C | 권장 학년 : 초3, 초4 |

권별	학습 주제	교과 연계
C01	나눗셈구구	❸학년 1학기
C02	두 자리 수의 곱셈	❸학년 2학기
C03	혼합 계산	❹학년 1학기
C04	큰 수의 곱셈과 나눗셈	❹학년 1학기
C05	분수·소수의 덧셈과 뺄셈	❹학년 1학기

P02 작은 수의 덧셈 목차

P02 작은 수의 덧셈

P02권에서는 합이 9이하인 한 자리 수의 덧셈을 학습합니다.
덧셈의 기초가 되는 수 모으기 모형을 통하여 '+ , =' 기호가 있는 덧셈식과 덧셈의 과정을 이해한 후, 합이 5이하인 덧셈에서 합이 9이하인 덧셈으로 합의 범위를 확장합니다. 이때 사용되는 계란판과 손가락 모형은 수의 구조를 쉽게 이해하는 효과적인 도구입니다.

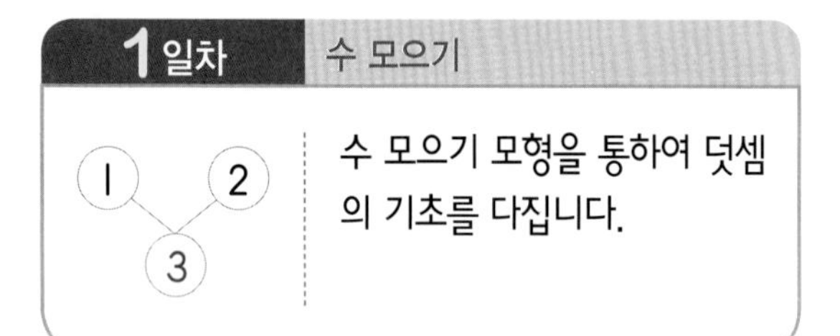

1일차
수 모으기
1
2
3
수 모으기 모형을 통하여 덧셈의 기초를 다집니다.

2일차 덧셈식과 수 모으기

1+2= 3

+, = 기호가 있는 덧셈식을 이용하여 합이 5이하의 덧셈을 학습합니다.

학습관리표

일 자	소요 시간	틀린 문항 수	확인
① 일차 월 일	:		
② 일차 월 일	:		
③ 일차 월 일	:		
④ 일차 월 일	:		
⑤ 일차 월 일	:		

3일차 5 만들기

$2+\boxed{3}=5$

합이 5가 되는 두 수를 찾아 익힙니다.

4일차 5 더하기

$5+3=\boxed{8}$

5와 어떤 수를 더하여 합이 9까지의 덧셈을 학습합니다.

5일차 9까지의 덧셈

$3+4=\boxed{7}$

합이 6, 7, 8, 9인 덧셈을 학습합니다.

연산 실력 체크

1주차 학습에 이어 2, 3, 4주차 학습을 원활히 하기 위하여 연산 실력 체크를 합니다.
연습이 더 필요할 경우에는 매스티안 홈페이지의 보충 학습을 풀어 봅니다.

1 주

수 모으기

땅 속에 도토리를 알맞게 붙이고, 모은 도토리의 수를 ▢ 안에 쓰시오.

준비물 ▸ 붙임 딱지

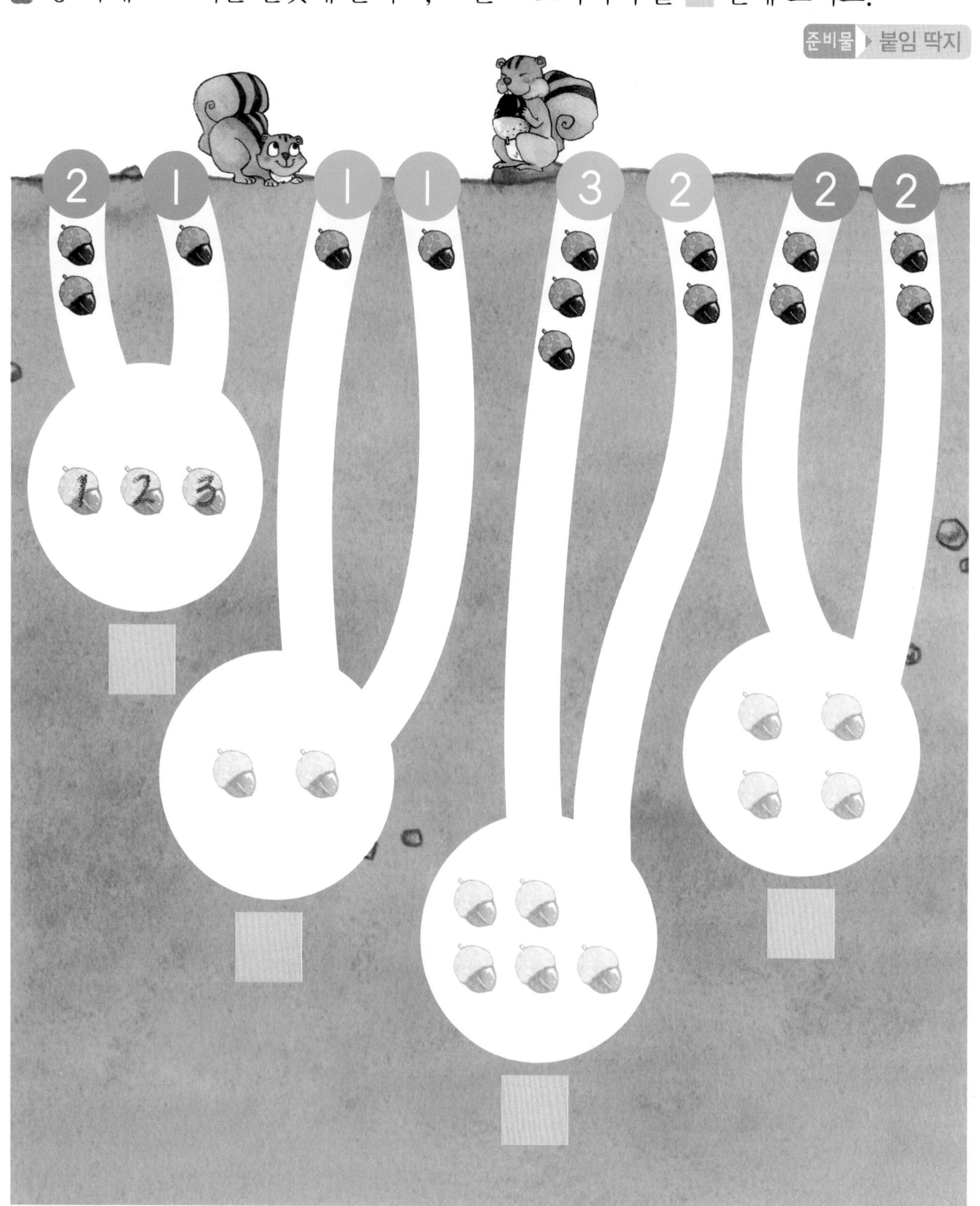

○를 색칠하여 ▒ 안에 알맞은 수를 써넣으시오.

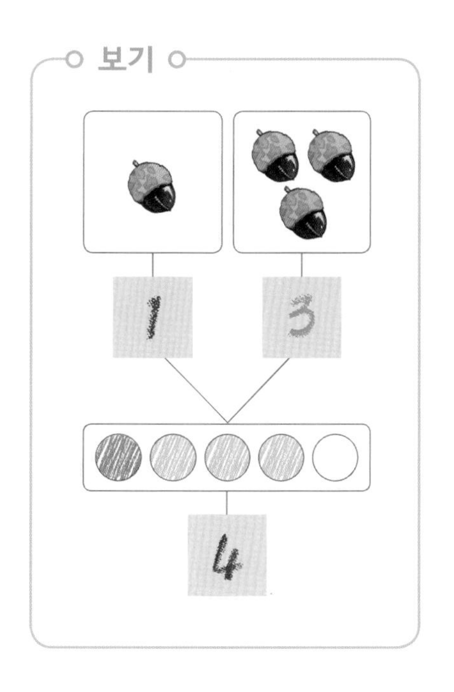

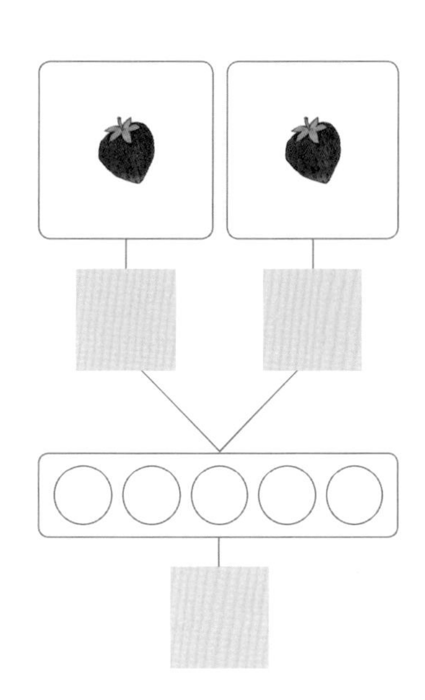
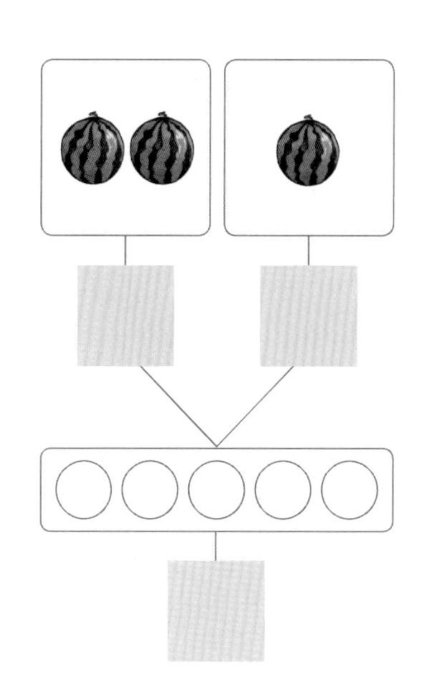
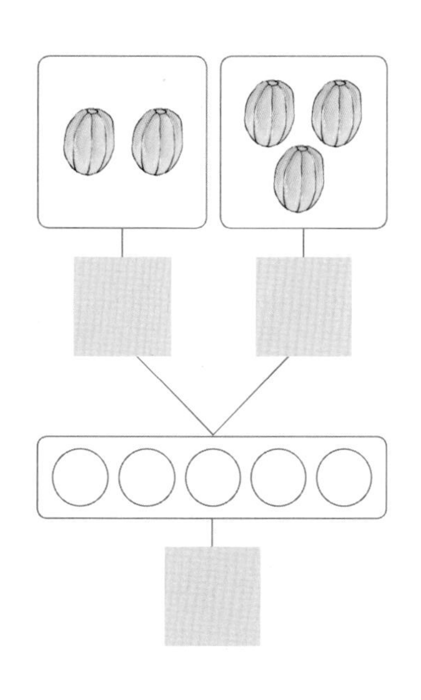
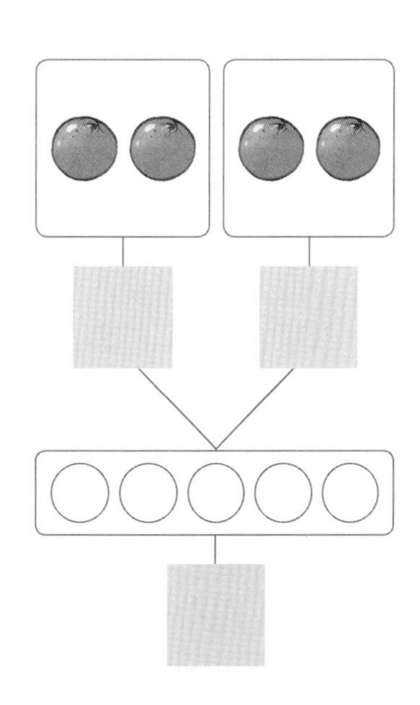
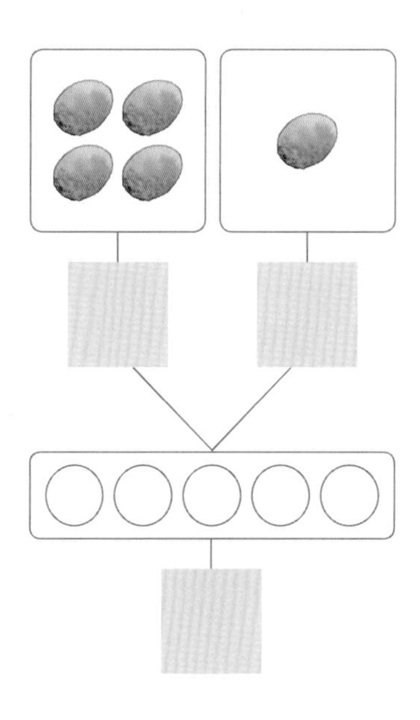

1
P02

●를 세며 두 수를 모아 보시오.

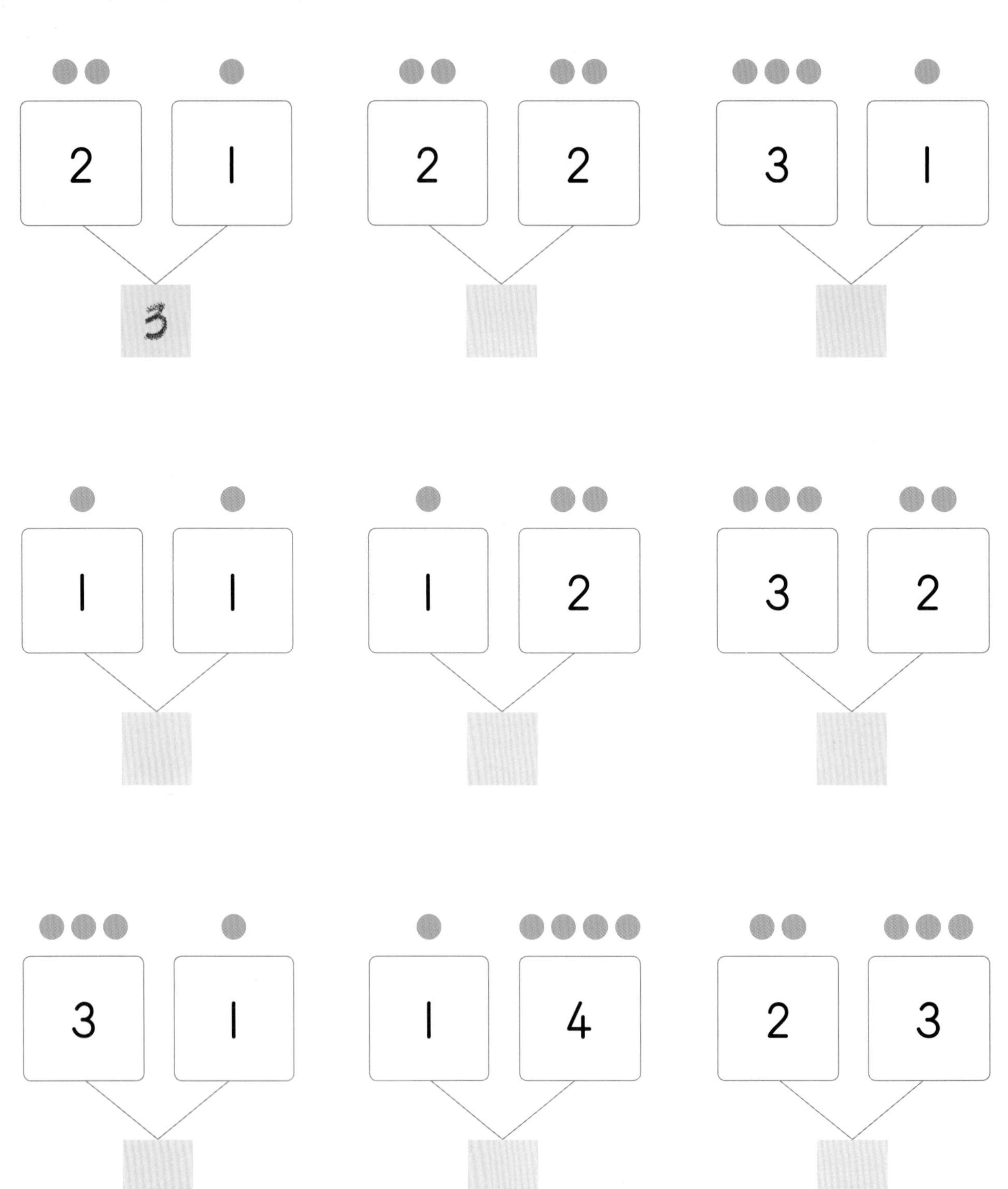

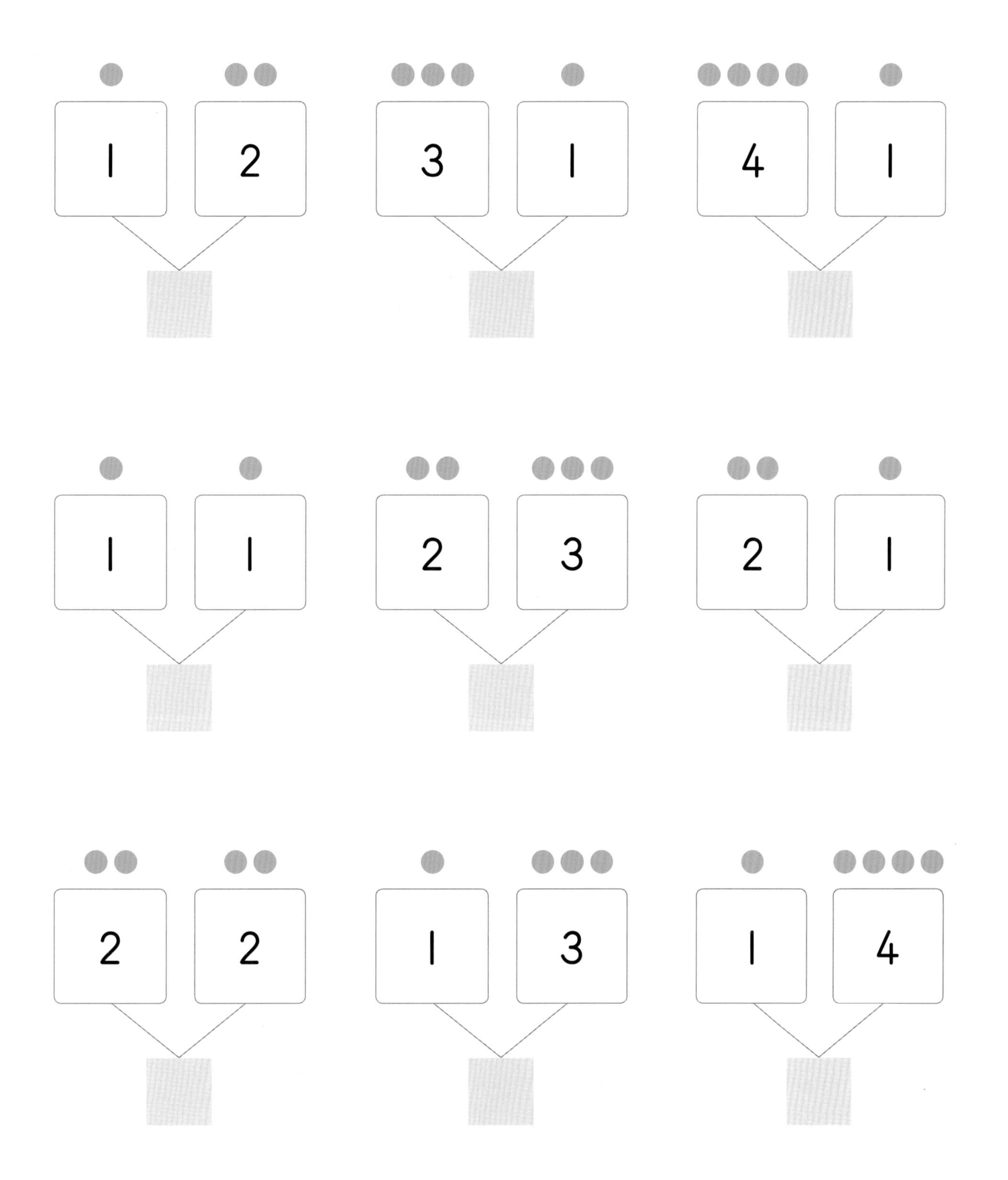

1
P02

두 수를 모아 보시오.

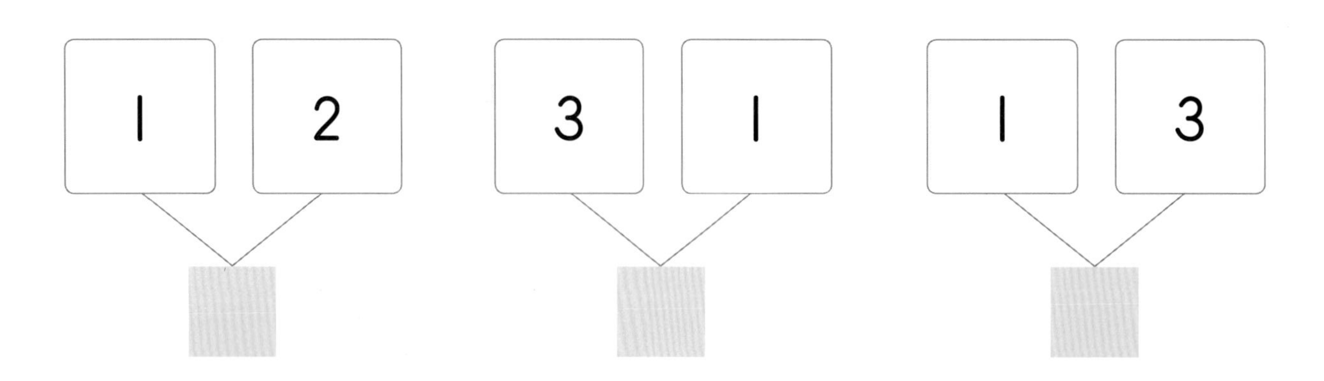

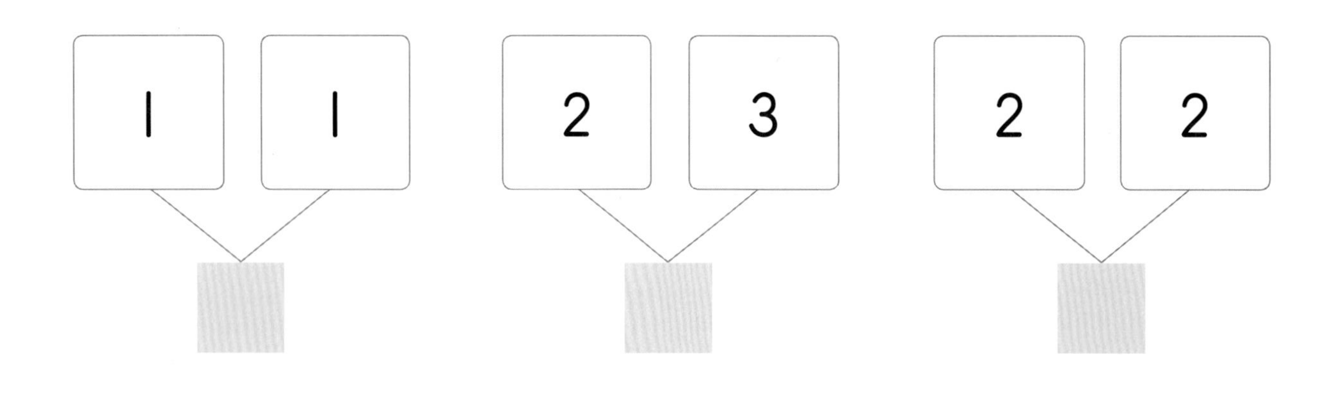

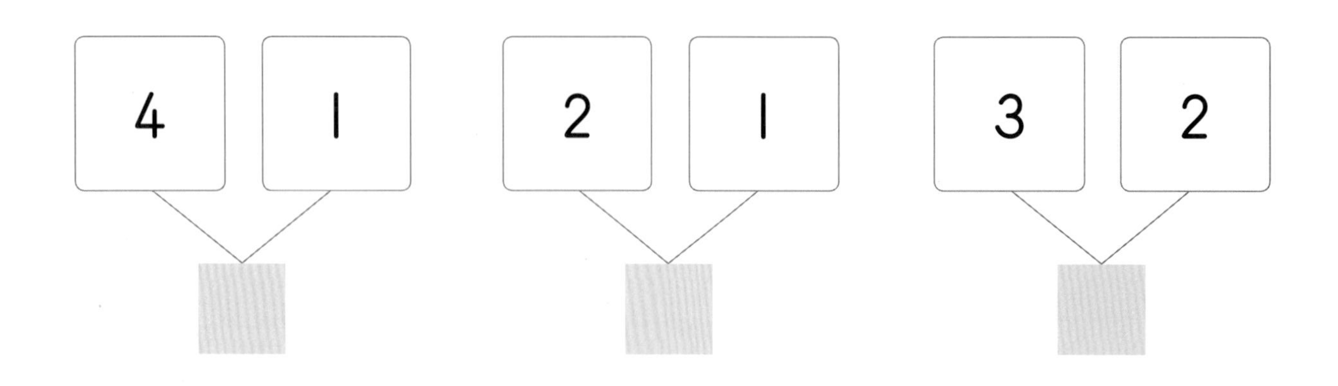

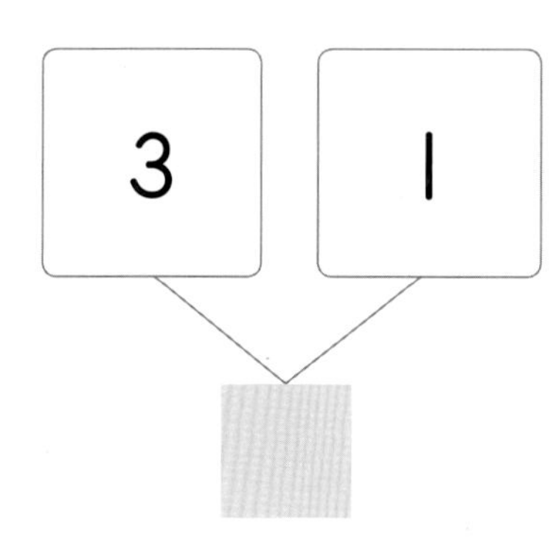
3
1

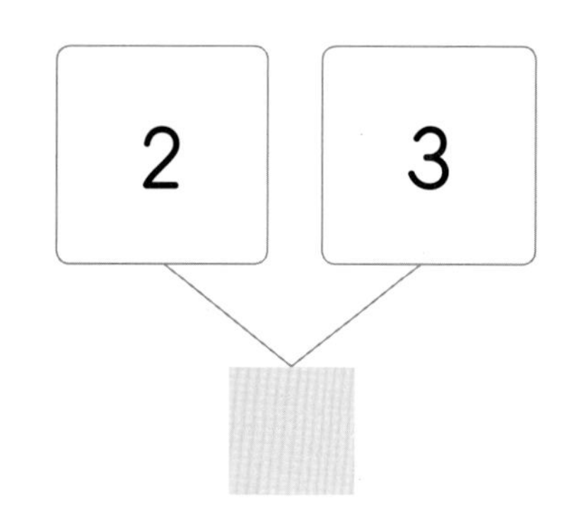
2
3

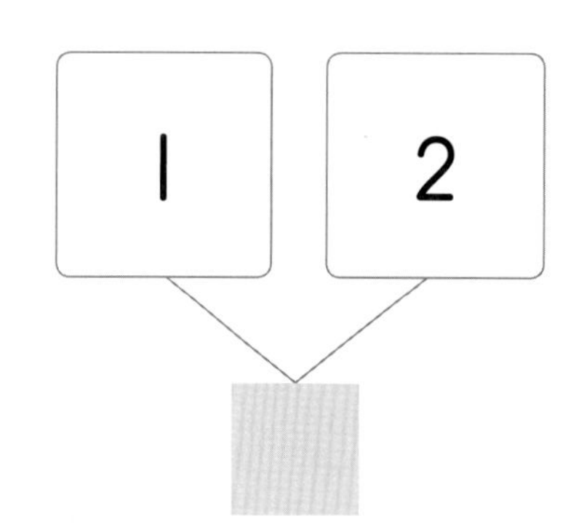
1
2

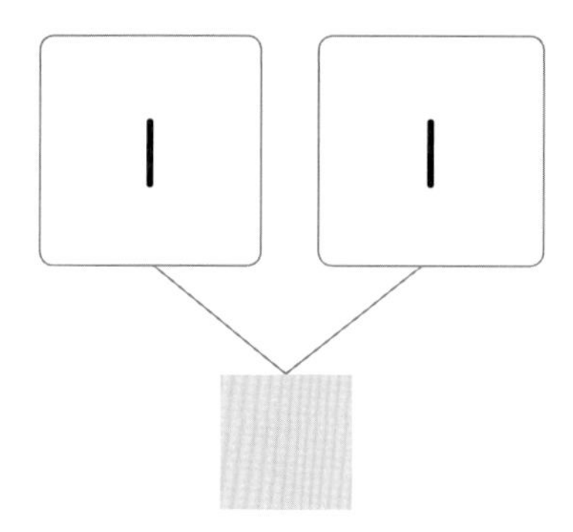
1
1

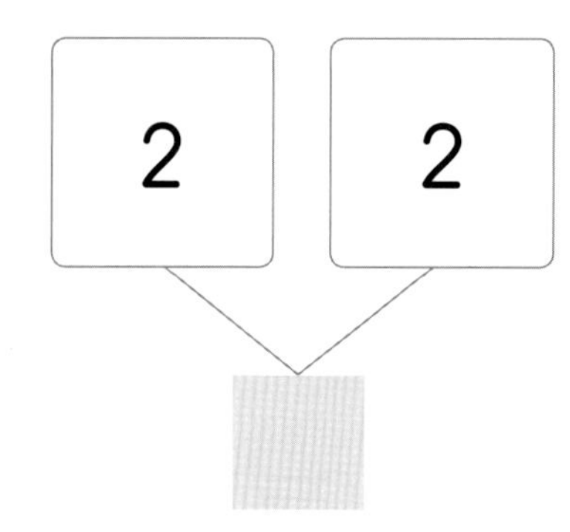
2
2

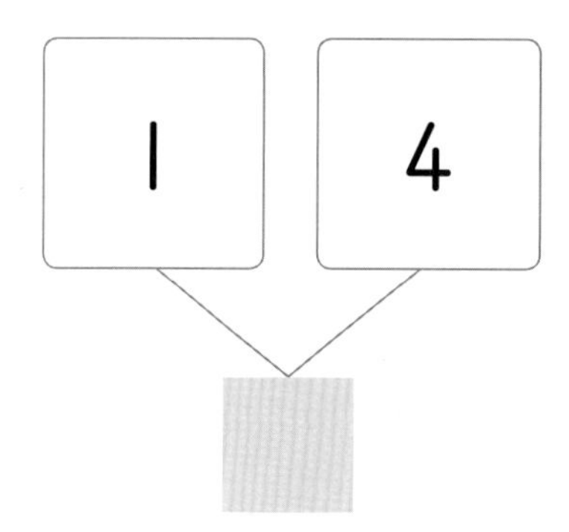
1
4

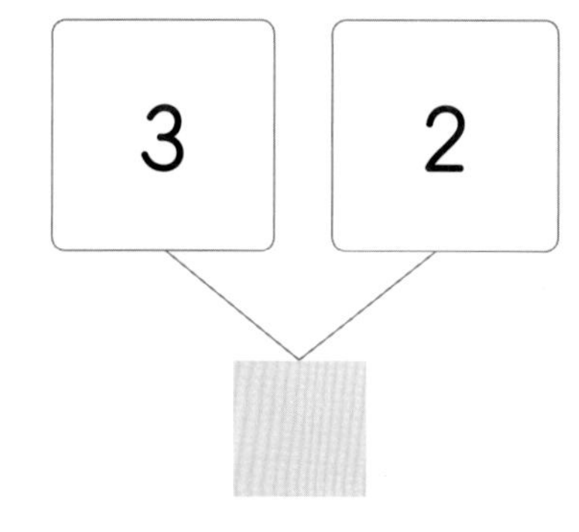
3
2

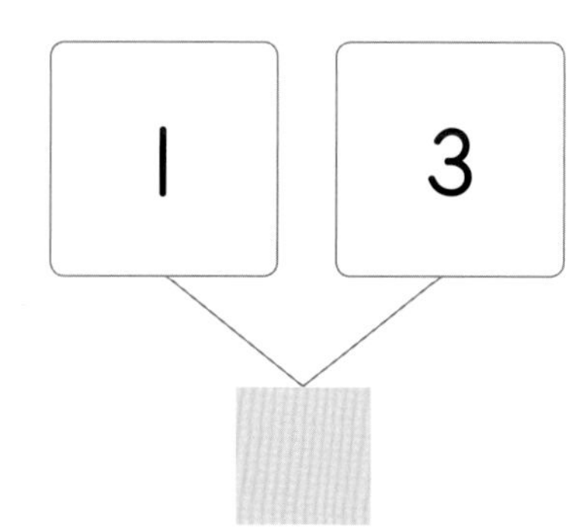
1
3

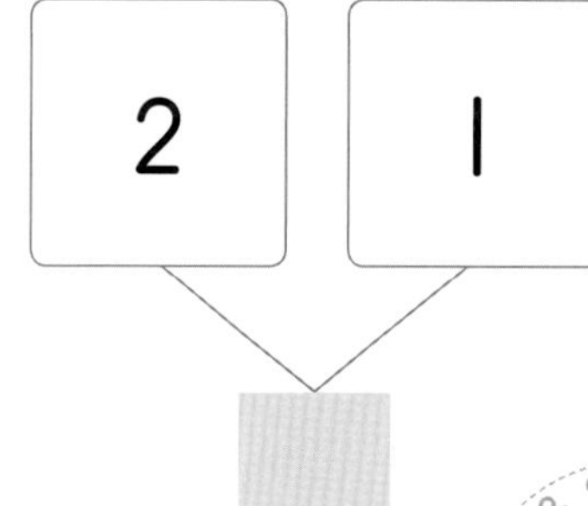
2
1

오늘은 얼마나 잘했을까요?
칭찬 붙임 딱지를
붙여 주세요!

덧셈식과 수 모으기

동물을 붙이며 덧셈을 하시오.

준비물 ▸ 붙임 딱지

$3 + 1 = \square$

$1 + 2 = \square$

$2 + 2 = \square$

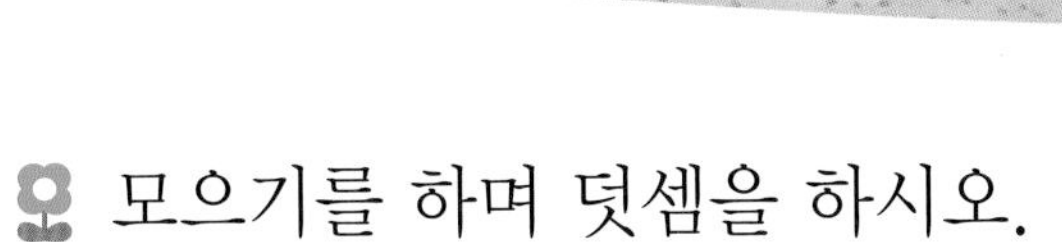

모으기를 하며 덧셈을 하시오.

보기

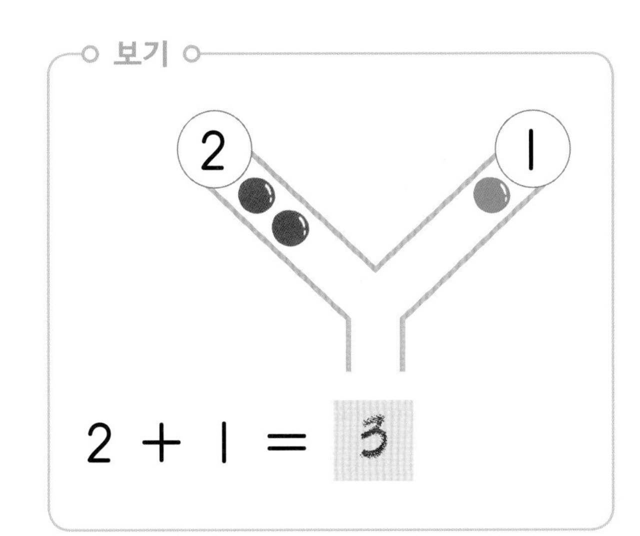

2 + 1 = 3

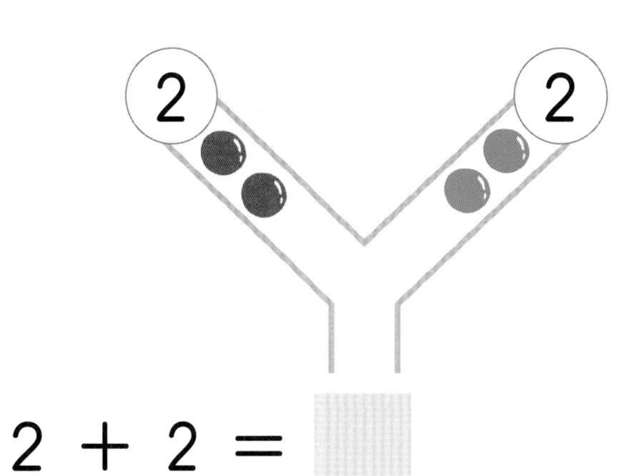

2 + 2 =

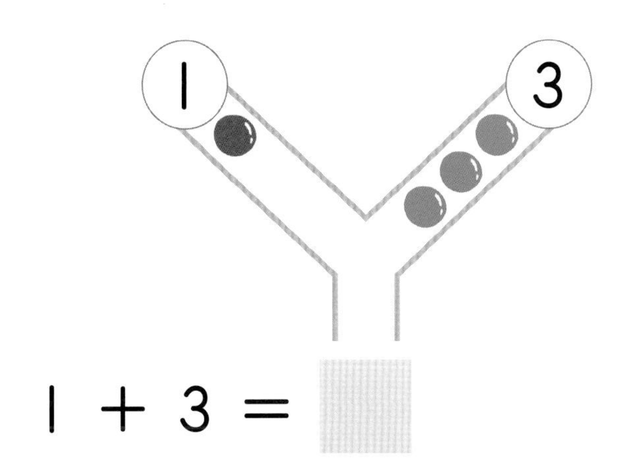

1 + 3 =

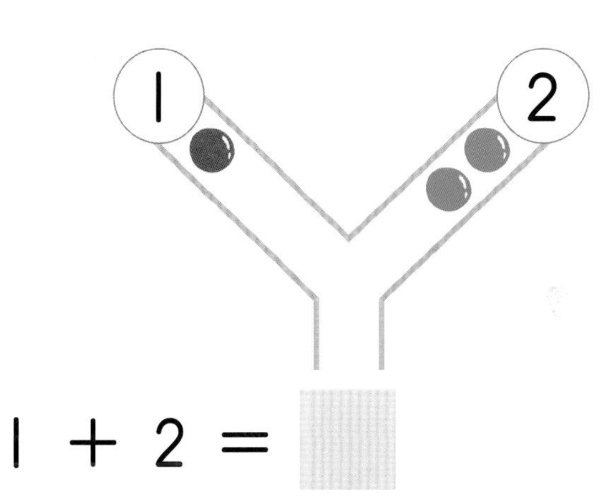

1 + 2 =

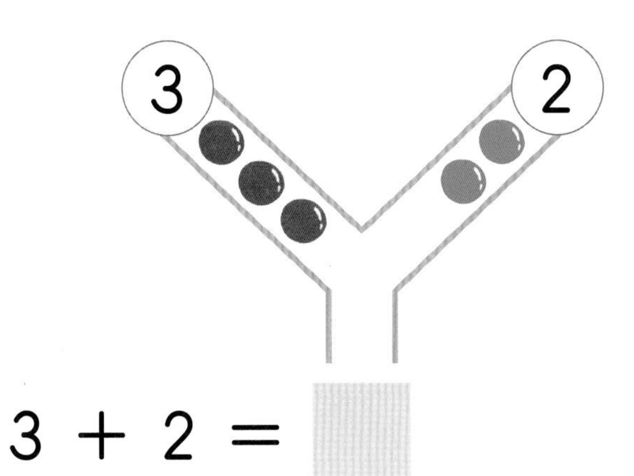

3 + 2 =

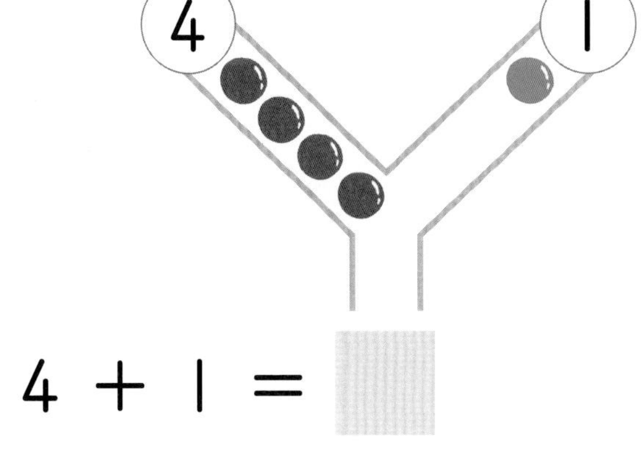

4 + 1 =

1
P02

두 수를 모아 덧셈을 하시오.

$3 + 1 = $ 4 (4)

$2 + 1 = $ ☐ (3)

$1 + 1 = $ ☐ ( )

$1 + 2 = $ ☐ ( )

$2 + 3 = $ ☐ ( )

$1 + 3 = $ ☐ ( )

$1 + 2 = $ ☐ ( )

$3 + 2 = $ ☐ ( )

$4 + 1 = $ ☐ ( )

$2 + 2 = $ ☐ ( )

2 + 1 = ☐

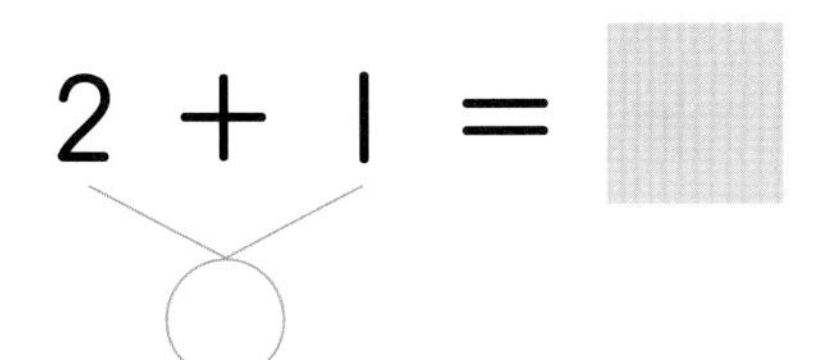

3 + 2 = ☐

4 + 1 = ☐

1 + 2 = ☐

2 + 2 = ☐

2 + 3 = ☐

1 + 4 = ☐

2 + 2 = ☐

3 + 1 = ☐

1 + 1 = ☐

덧셈을 하시오.

$1 + 2 =$ ☐

$3 + 2 =$ ☐

$3 + 1 =$ ☐

$2 + 2 =$ ☐

$4 + 1 =$ ☐

$1 + 2 =$ ☐

$1 + 1 =$ ☐

$2 + 2 =$ ☐

$2 + 1 =$ ☐

$2 + 3 =$ ☐

$1 + 4 =$ ☐

$3 + 1 =$ ☐

$1 + 1 =$ ☐

$3 + 1 =$ ☐

$3 + 2 =$ ☐

$1 + 1 =$ ☐

$1 + 3 =$ ☐

$1 + 4 =$ ☐

$4 + 1 =$ ☐

$2 + 1 =$ ☐

$2 + 2 =$ ☐

$2 + 3 =$ ☐

$1 + 2 =$ ☐

$2 + 2 =$ ☐

5 만들기

각 층에 같은 종류의 동물을 붙이고, ▒ 안에 알맞은 수를 써넣으시오.

준비물 ▶ 붙임 딱지

$1 + \square = 5$

$2 + \square = 5$

$3 + \square = 5$

$4 + \square = 5$

🔲를 색칠하고 ▒ 안에 알맞은 수를 써넣으시오.

보기

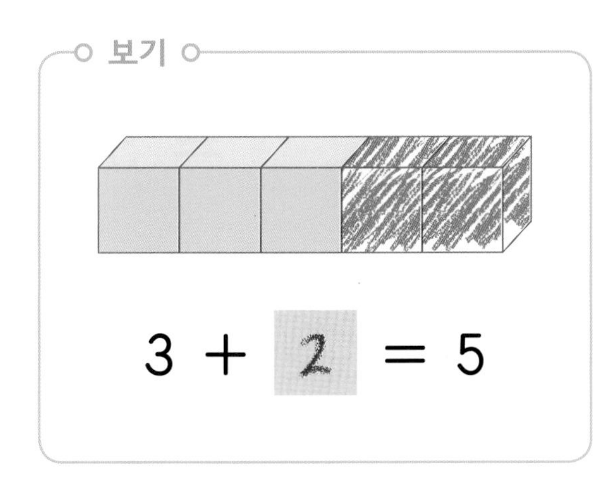

3 + 2 = 5

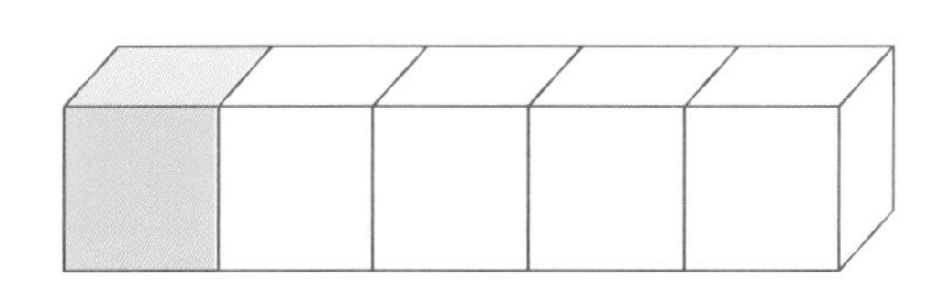

| + ▒ = 5

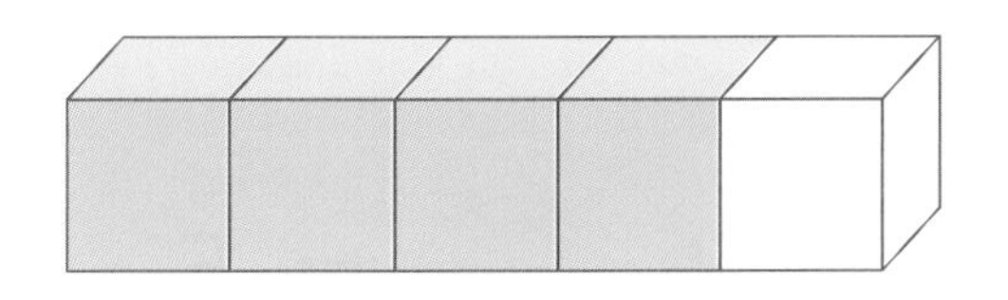

4 + ▒ = 5

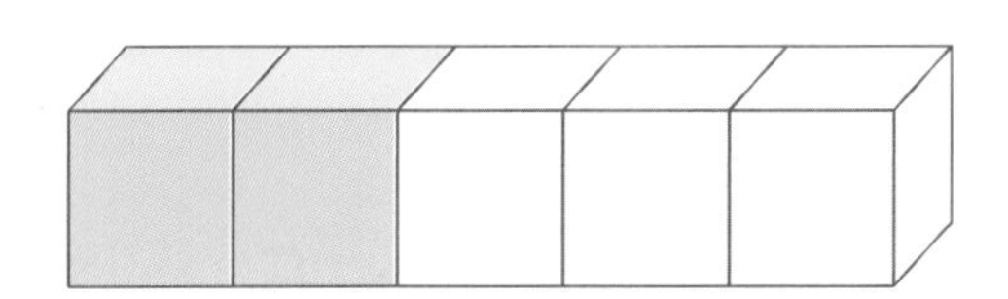

2 + ▒ = 5

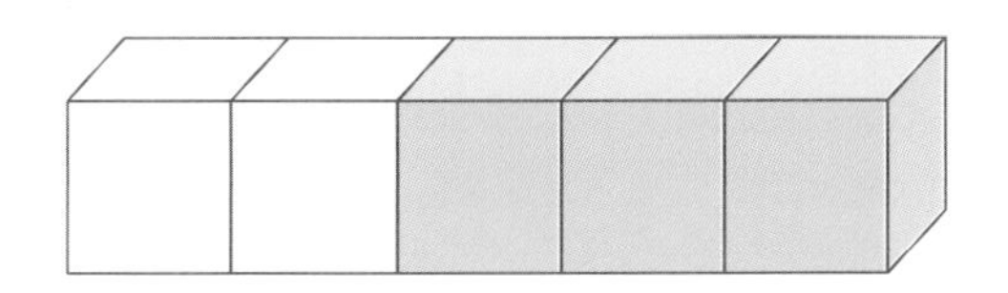

▒ + 3 = 5

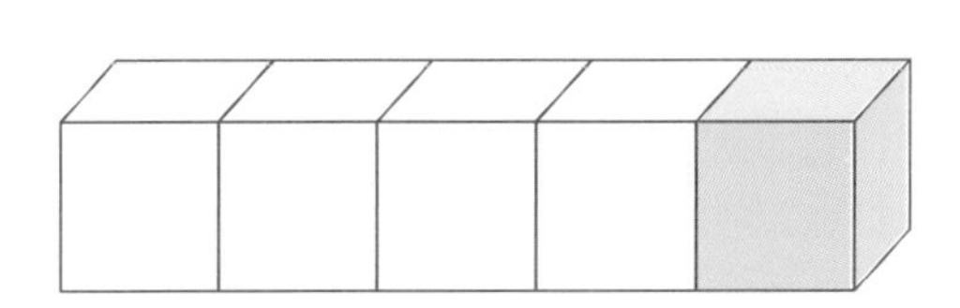

▒ + | = 5

○를 그리고 ▢ 안에 알맞은 수를 써넣으시오.

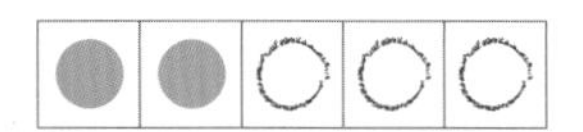

2 + 3 = 5

4 + ▢ = 5

3 + ▢ = 5

1 + ▢ = 5

4 + ▢ = 5

2 + ▢ = 5

1 + ▢ = 5

4 + ▢ = 5

2 + ▢ = 5

3 + ▢ = 5

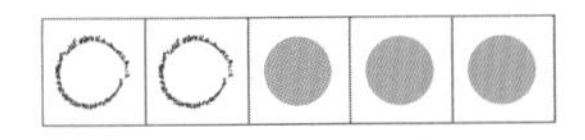

2 + 3 = 5

+ 4 = 5

+ 2 = 5

+ 1 = 5

+ 4 = 5

+ 3 = 5

+ 1 = 5

+ 2 = 5

+ 2 = 5

+ 3 = 5

1
P02

✿ ▢ 안에 알맞은 수를 써넣으시오.

$3 + \square = 5$

$2 + \square = 5$

$4 + \square = 5$

$3 + \square = 5$

$2 + \square = 5$

$1 + \square = 5$

$3 + \square = 5$

$4 + \square = 5$

$1 + \square = 5$

$3 + \square = 5$

$4 + \square = 5$

$2 + \square = 5$

$\square + 3 = 5$

$\square + 2 = 5$

$\square + 1 = 5$

$\square + 4 = 5$

$\square + 2 = 5$

$\square + 3 = 5$

$\square + 4 = 5$

$\square + 2 = 5$

$\square + 3 = 5$

$\square + 1 = 5$

$\square + 2 = 5$

$\square + 4 = 5$

오늘은 얼마나 잘했을까요?
칭찬 붙임 딱지를 붙여 주세요!

5 더하기

손도장을 붙이며 덧셈을 하시오.

준비물 ▸ 붙임 딱지

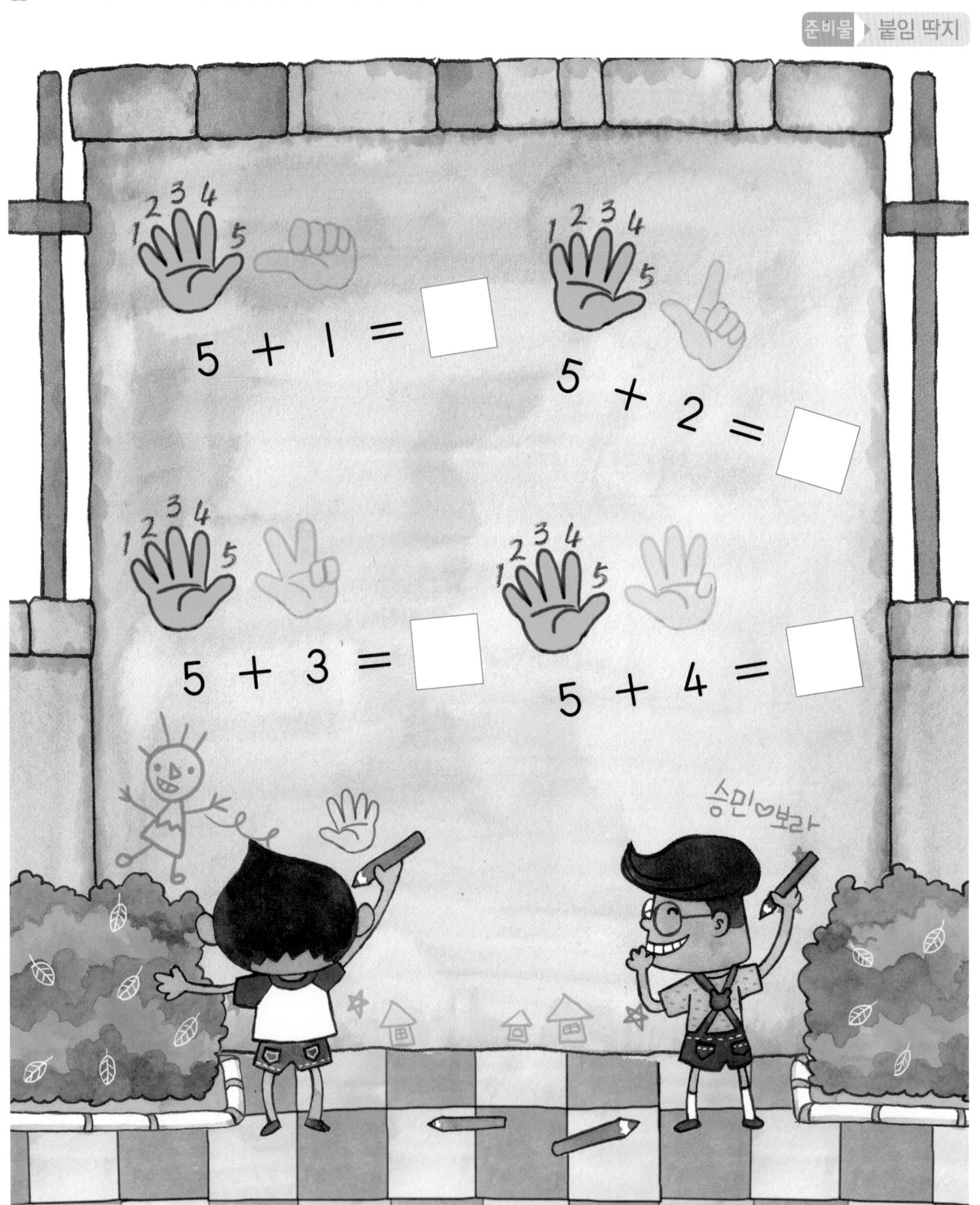

손가락을 세어 덧셈을 하시오.

보기

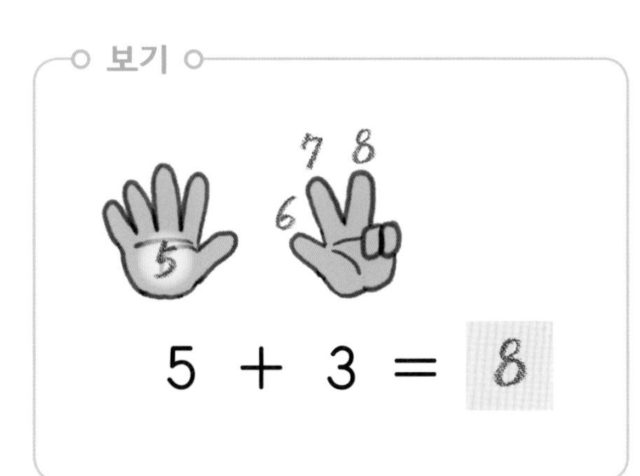

5 + 3 = 8

5 + 2 =

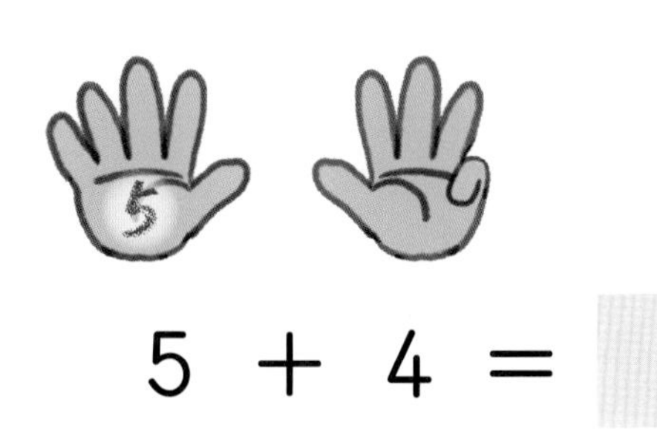

5 + 4 =

5 + 1 =

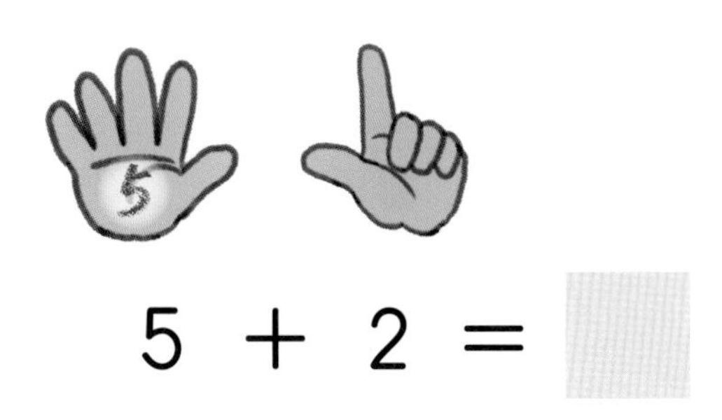

5 + 2 =

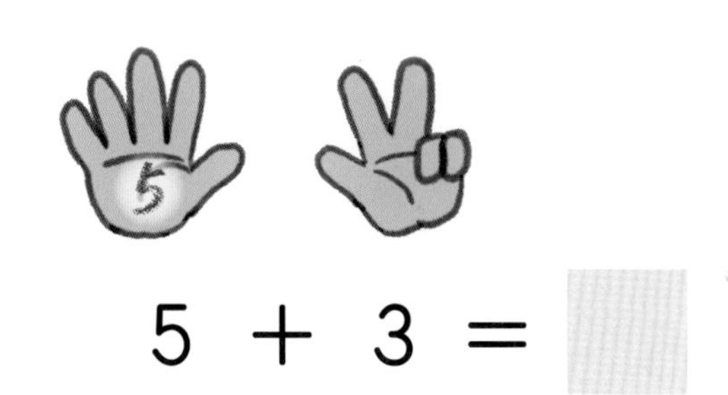

5 + 3 =

○를 그리며 덧셈을 하시오.

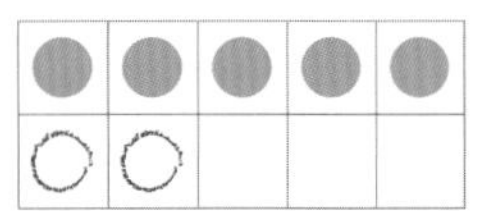

$5 + 2 = 7$

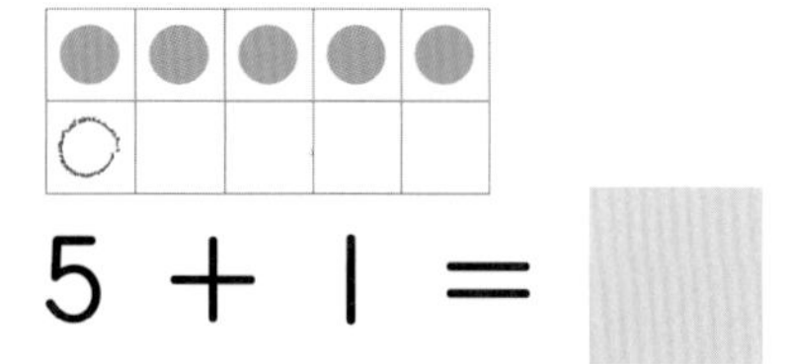

$5 + 1 = \square$

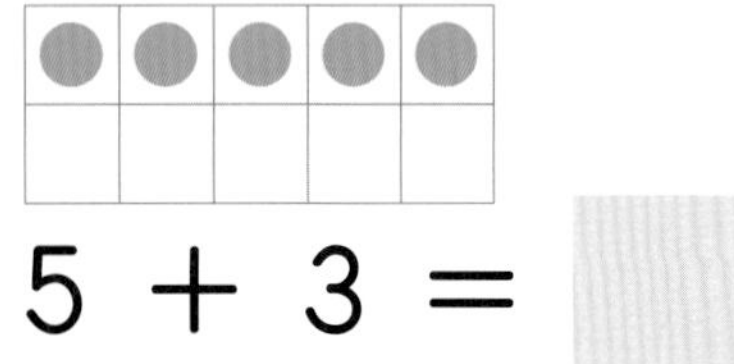

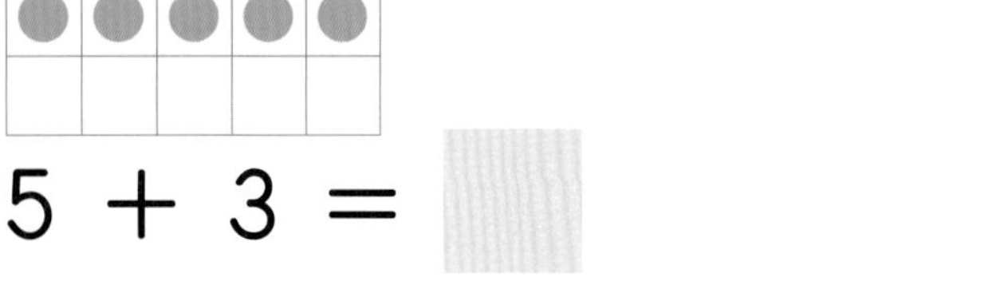

$5 + 3 = \square$

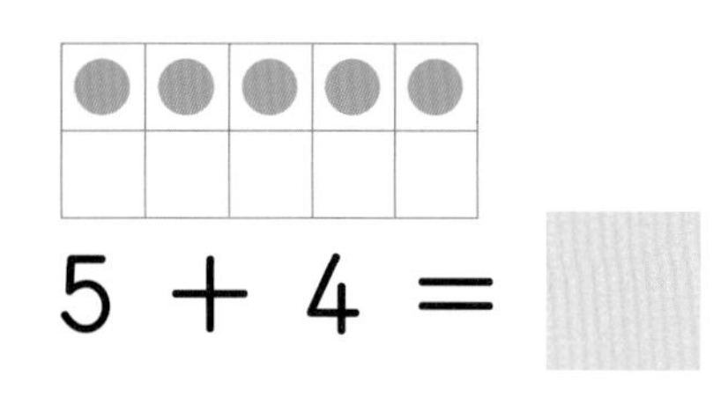

$5 + 4 = \square$

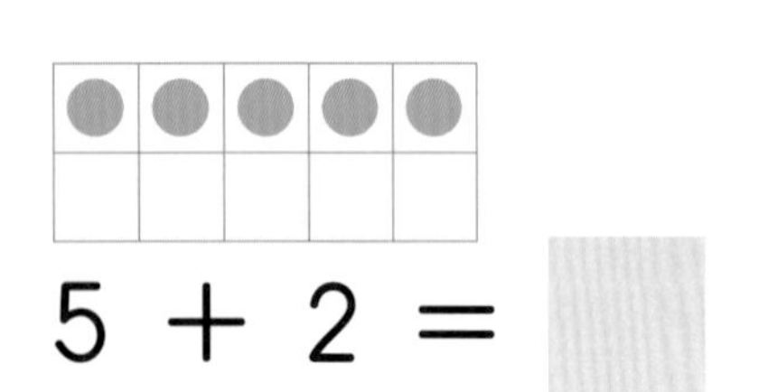

$5 + 2 = \square$

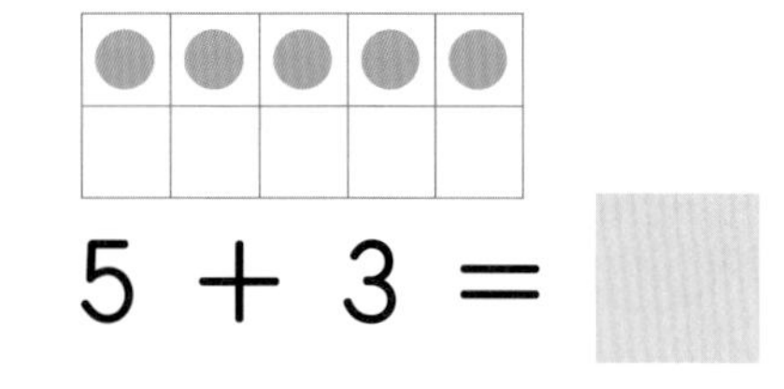

$5 + 3 = \square$

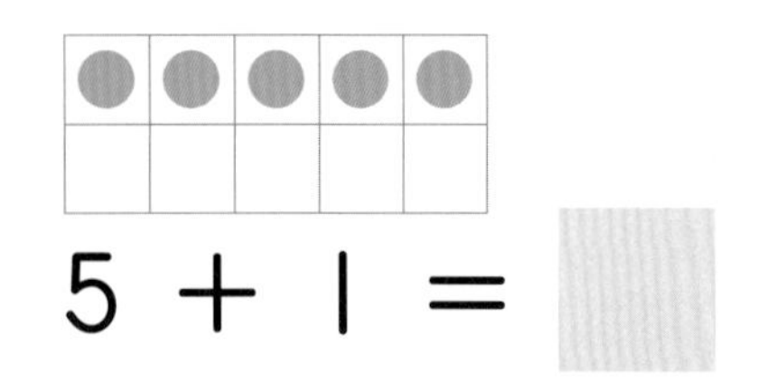

$5 + 1 = \square$

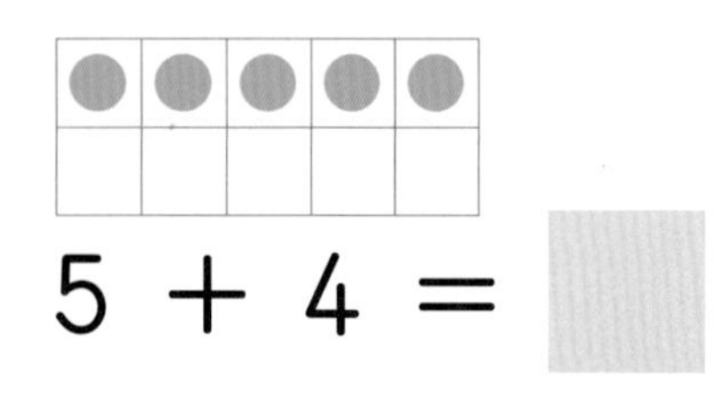

$5 + 4 = \square$

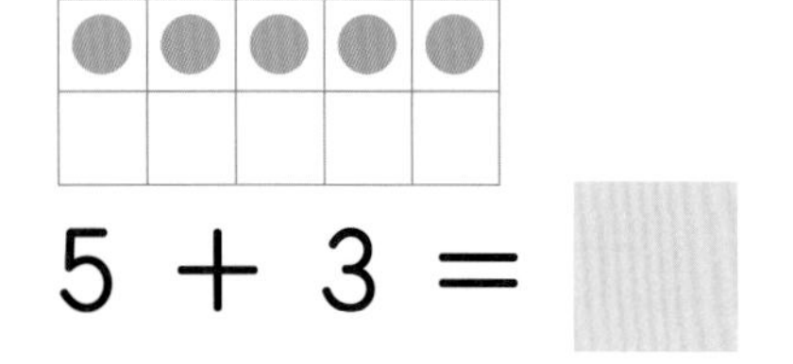

$5 + 3 = \square$

$5 + 2 = \square$

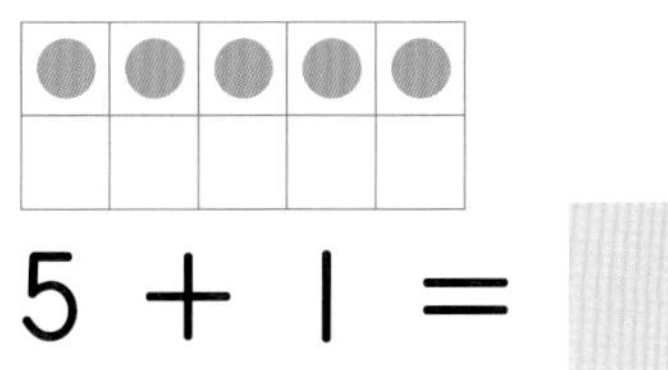

5 + 1 =

5 + 4 =

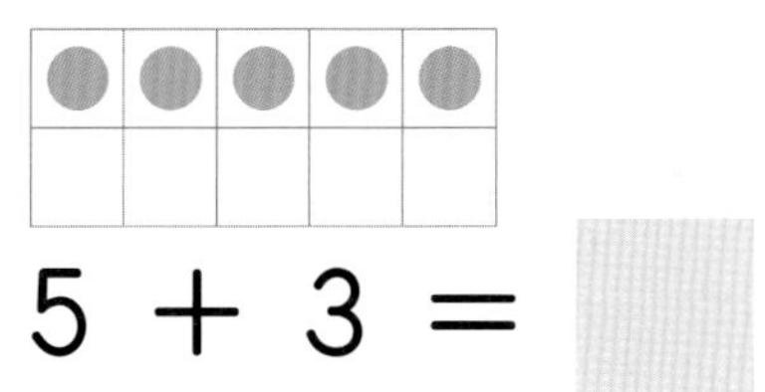

5 + 3 =

5 + 2 =

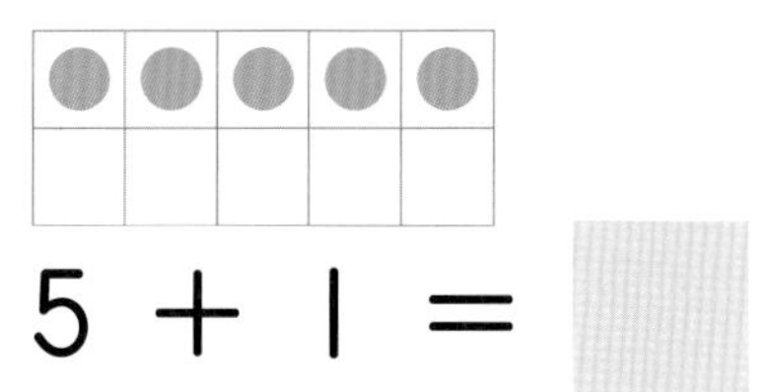

5 + 1 =

5 + 3 =

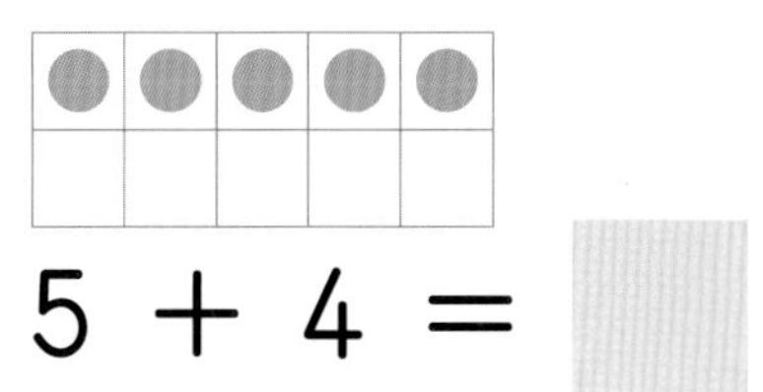

5 + 4 =

5 + 1 =

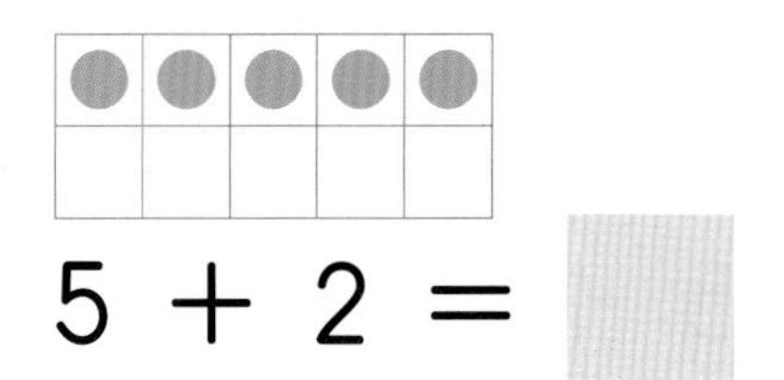

5 + 2 =

5 + 3 =

덧셈을 하시오.

$5 + 1 = \square$

$5 + 3 = \square$

$5 + 2 = \square$

$5 + 1 = \square$

$5 + 3 = \square$

$5 + 4 = \square$

$5 + 1 = \square$

$5 + 2 = \square$

$5 + 4 = \square$

$5 + 3 = \square$

$5 + 2 = \square$

$5 + 1 = \square$

$5 + 2 = \square$

$5 + 1 = \square$

$5 + 4 = \square$

$5 + 3 = \square$

$5 + 1 = \square$

$5 + 2 = \square$

$5 + 3 = \square$

$5 + 4 = \square$

$5 + 2 = \square$

$5 + 1 = \square$

$5 + 4 = \square$

$5 + 3 = \square$

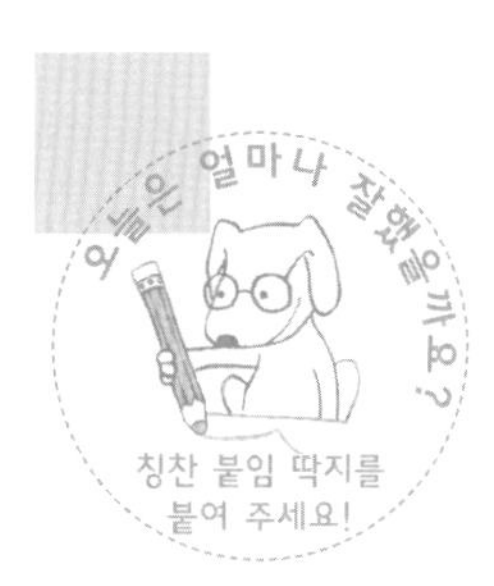

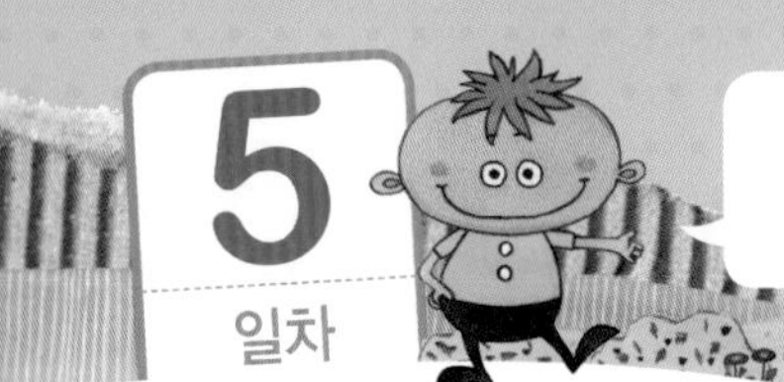

9까지의 덧셈

달걀을 붙이며 덧셈을 하시오.

준비물 ▸ 붙임 딱지

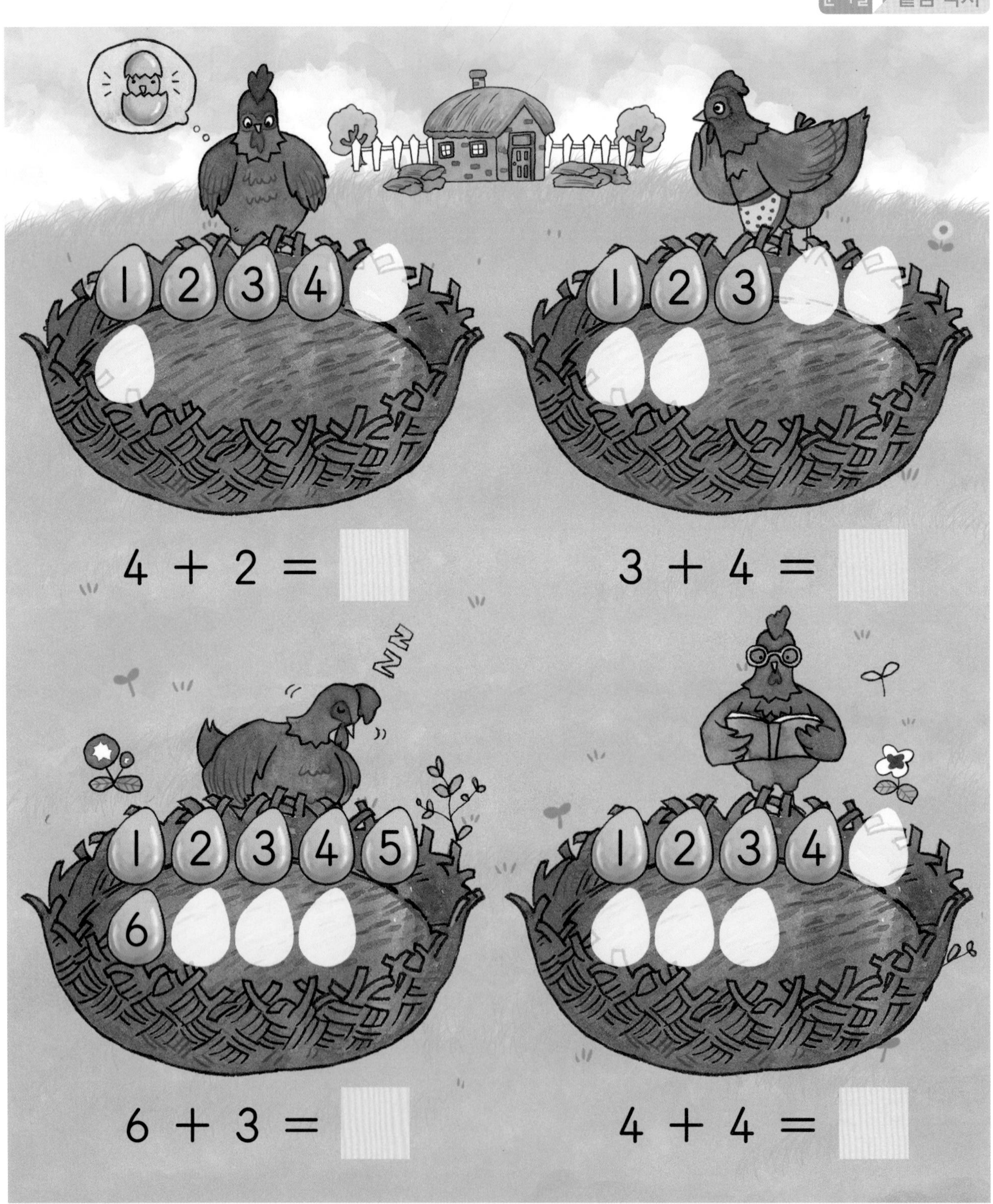

달걀을 알맞게 색칠하며 덧셈을 하시오.

보기

$4 + 3 = 7$

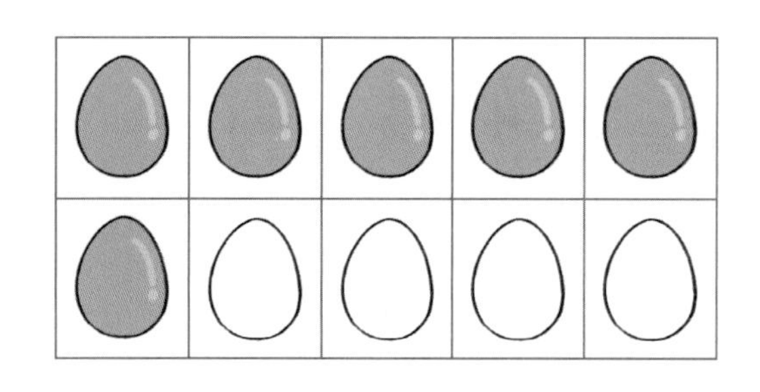

$6 + 2 =$ ☐

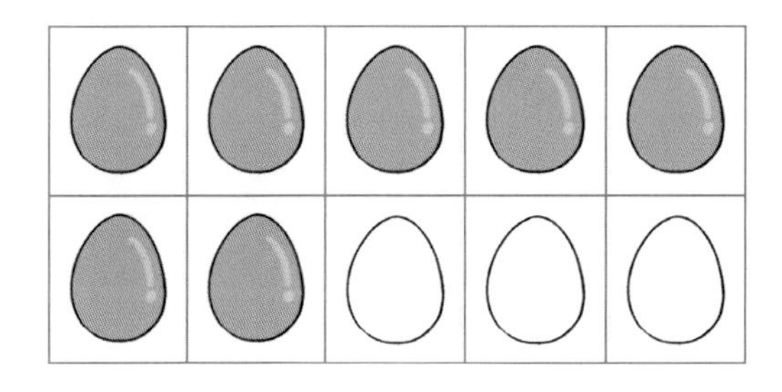

$7 + 2 =$ ☐

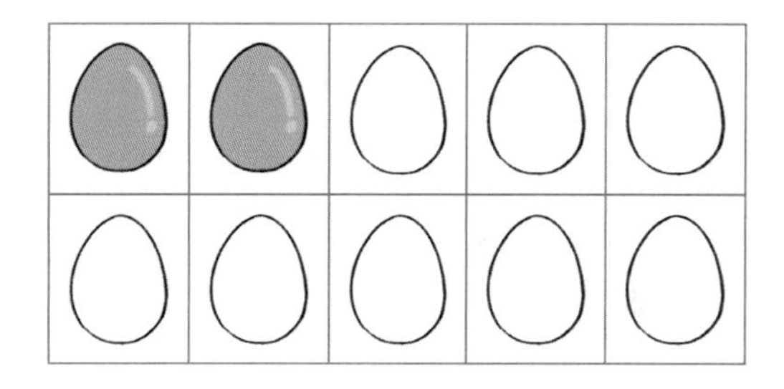

$2 + 4 =$ ☐

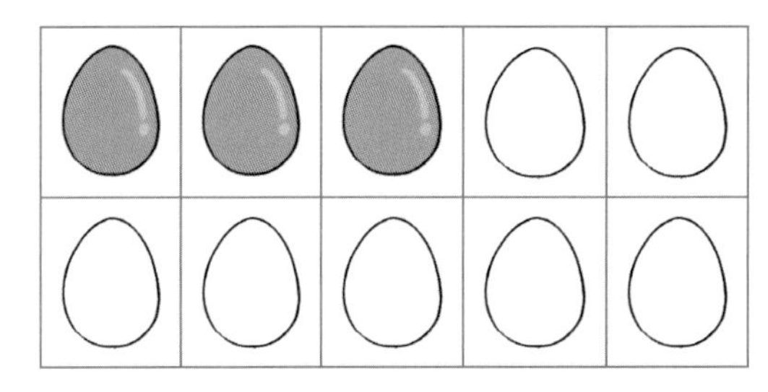

$3 + 3 =$ ☐

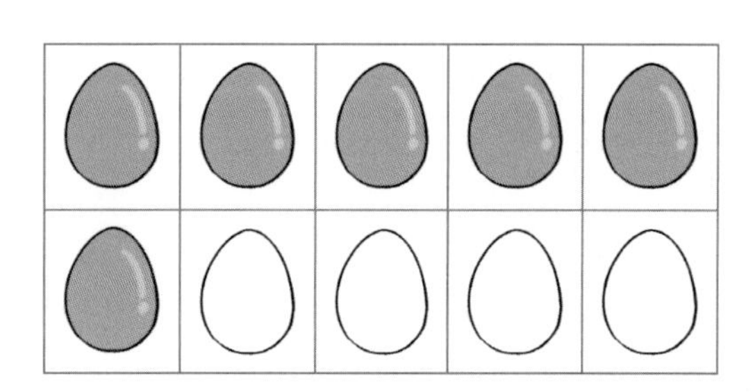

$6 + 3 =$ ☐

○를 그리며 덧셈을 하시오.

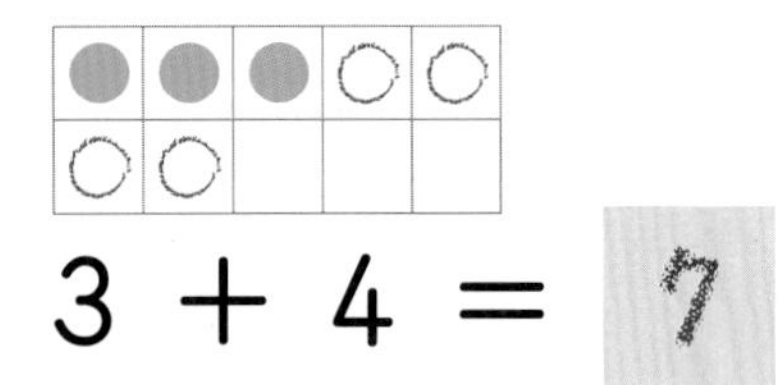

3 + 4 = 7

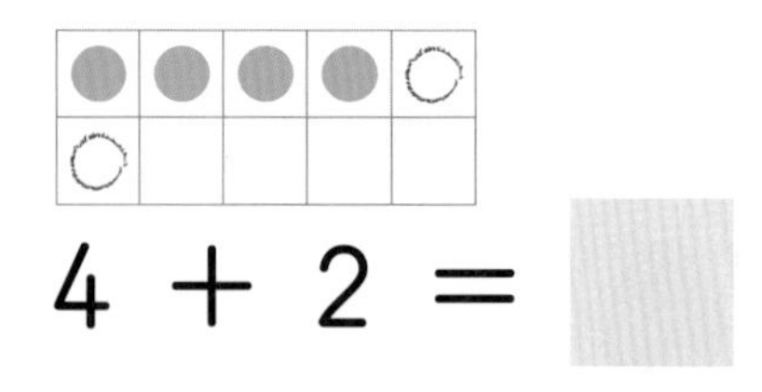

4 + 2 =

6 + 2 =

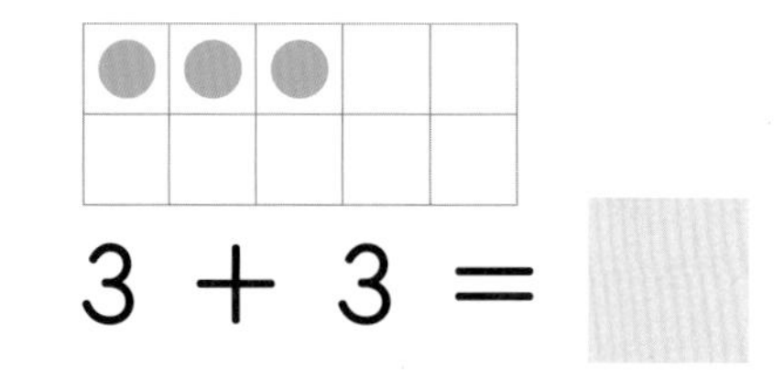

3 + 3 =

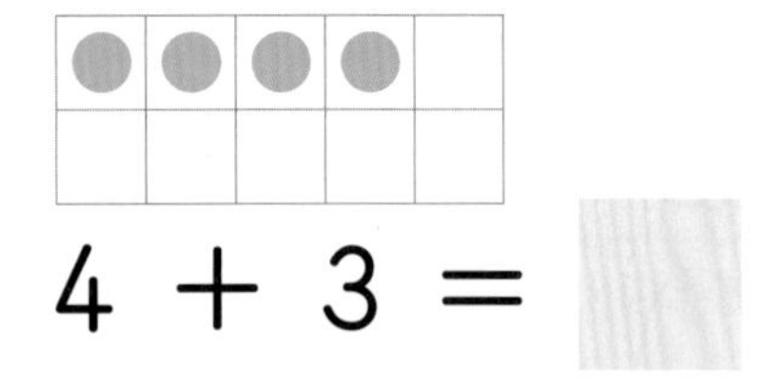

4 + 3 =

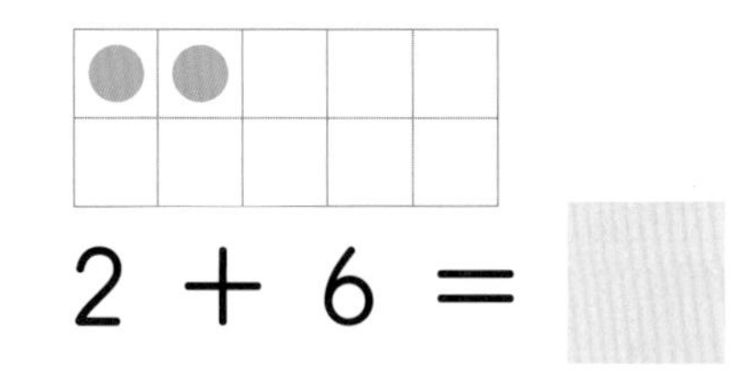

2 + 6 =

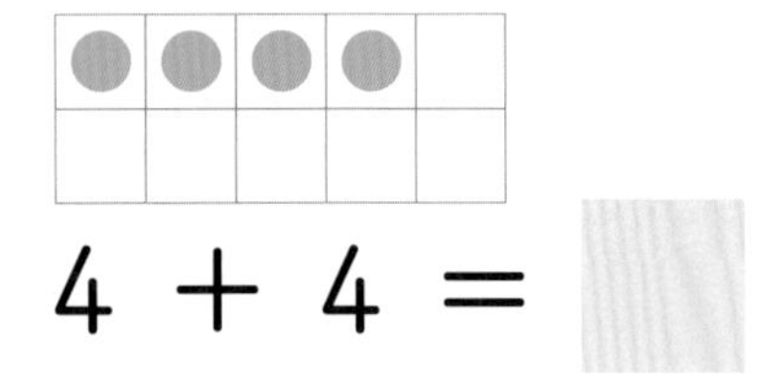

4 + 4 =

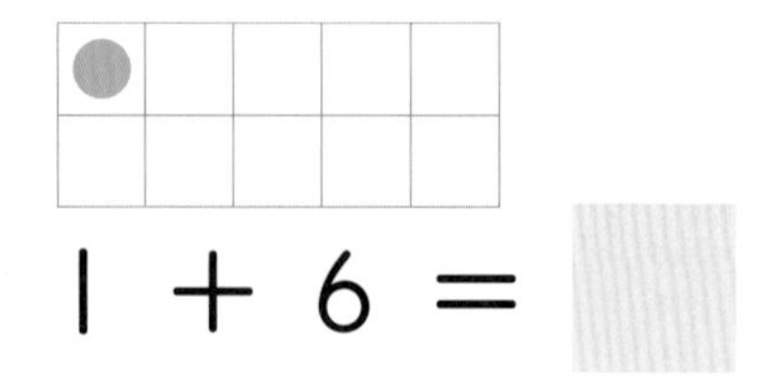

1 + 6 =

8 + 1 =

6 + 3 =

6 + 1 =

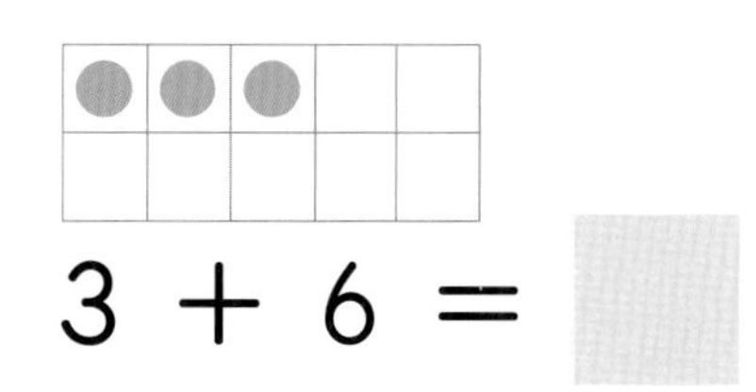

3 + 6 =

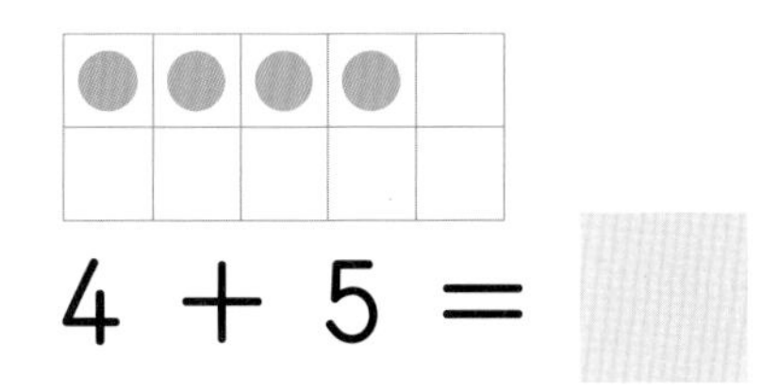

4 + 5 =

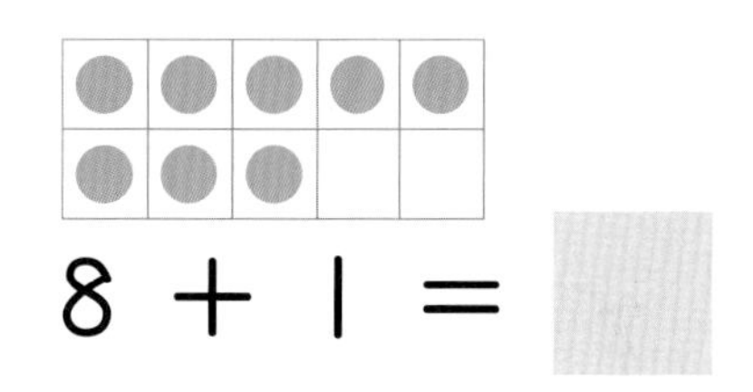

8 + 1 =

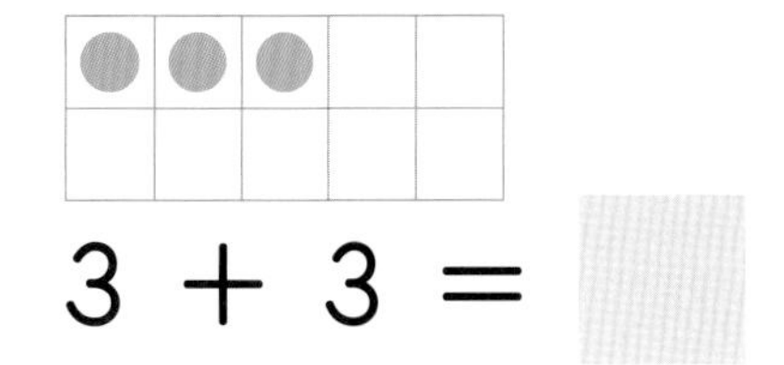

3 + 3 =

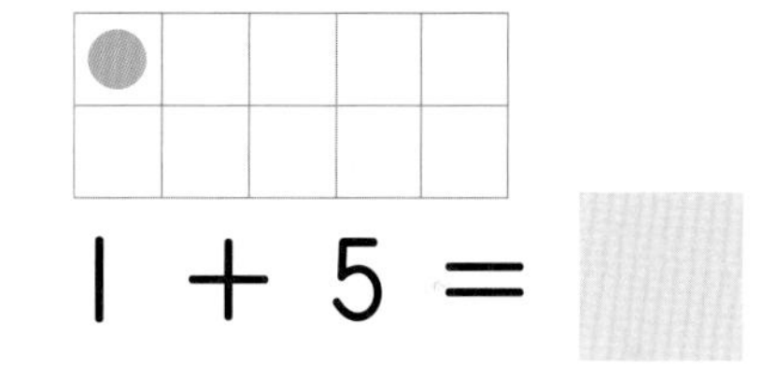

1 + 5 =

7 + 1 =

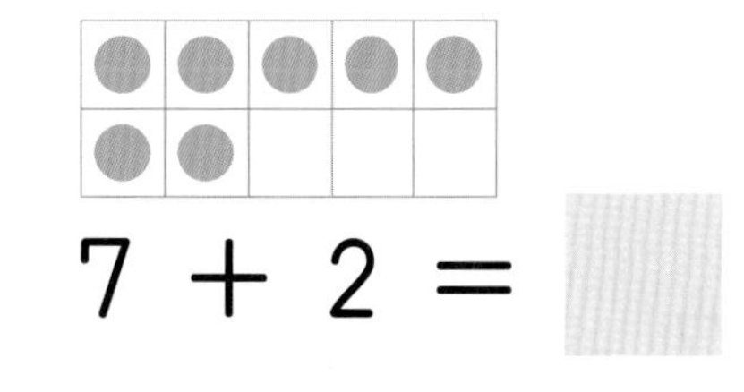

7 + 2 =

2 + 5 =

4 + 3 =

덧셈을 하시오.

$6 + 1 =$ ☐　　　$2 + 3 =$ ☐

$4 + 1 =$ ☐　　　$7 + 1 =$ ☐

$2 + 4 =$ ☐　　　$5 + 3 =$ ☐

$1 + 6 =$ ☐　　　$2 + 7 =$ ☐

$7 + 2 =$ ☐　　　$3 + 4 =$ ☐

$3 + 6 =$ ☐　　　$6 + 2 =$ ☐

공부한 날 월 일

$4 + 3 = \square$

$3 + 2 = \square$

$5 + 4 = \square$

$5 + 2 = \square$

$3 + 3 = \square$

$3 + 5 = \square$

$4 + 5 = \square$

$6 + 3 = \square$

$2 + 6 = \square$

$3 + 4 = \square$

$4 + 2 = \square$

$4 + 4 = \square$

작은 수의 덧셈 연산 실력 체크

정답 수	/ 40개
날 짜	월 일

2~4주 사고력 연산을 학습하기 전에 기본 연산 실력을 점검해 보세요.

1. $2 + 1 = \square$

2. $3 + 2 = \square$

3. $1 + 3 = \square$

4. $5 + 1 = \square$

5. $3 + 3 = \square$

6. $1 + 8 = \square$

7. $6 + 2 = \square$

8. $3 + 4 = \square$

9. $7 + 1 = \square$

10. $3 + 6 = \square$

11. $5 + 2 = \square$

12. $4 + 4 = \square$

13. $1 + 2 =$ ☐

14. $3 + 3 =$ ☐

15. $2 + 5 =$ ☐

16. $5 + 4 =$ ☐

17. $3 + 5 =$ ☐

18. $1 + 1 =$ ☐

19. $2 + 4 =$ ☐

20. $7 + 2 =$ ☐

21. $2 + 2 =$ ☐

22. $3 + 4 =$ ☐

23. $2 + 3 =$ ☐

24. $6 + 2 =$ ☐

25. $3 + 1 =$ ☐

26. $4 + 4 =$ ☐

27. $1 + 4 =$ ☐

28. $4 + 2 =$ ☐

29. $3 + 5 =$ ☐

30. $3 + 3 =$ ☐

31. $5 + 4 =$ ☐

32. $4 + 3 =$ ☐

33. $2 + 1 =$ ☐

34. $2 + 7 =$ ☐

35. $3 + 2 =$ ☐

36. $2 + 5 =$ ☐

37. $5 + 3 =$ ☐

38. $4 + 2 =$ ☐

39. $2 + 5 =$ ☐

40. $6 + 3 =$ ☐

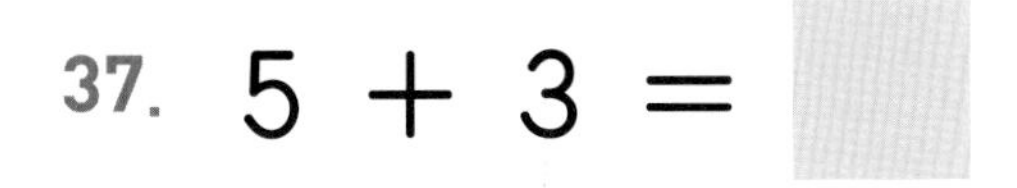

오답 수에 맞게 학습을 진행하시기 바랍니다.

평가	오답 수	학습 방법
최고예요	0 ~ 2개	전반적으로 학습 내용에 대해 정확히 이해하고 있으며 매우 우수합니다. 기본 연산 문제를 자신 있게 풀 수 있는 실력을 갖추었으므로 이제는 사고력을 향상시킬 차례입니다. 2주차부터 차근차근 학습을 진행해 보세요. 학습 [2주차] → [3주차] → [4주차]
잘했어요	3 ~ 4개	기본 연산 문제를 전반적으로 잘 이해하고 풀었지만 약간의 실수가 있는 것 같습니다. 틀린 문제를 다시 한 번 풀어 보고, 문제를 차근차근 푸는 습관을 갖도록 노력해 보세요. 매스티안 홈페이지에서 제공하는 보충 학습으로 연산 실력을 향상시킨 후 2, 3, 4주차 학습을 진행해 주세요. 학습 [틀린 문제 복습] → [보충 학습] → [2주차] → …
노력해요	5개 이상	개념을 정확하게 이해하고 있지 않아 연산을 하는데 어려움이 있습니다. 개념을 이해하고 연산 문제를 반복해서 연습해 보세요. 매스티안 홈페이지에서 제공하는 보충 학습이 연산 실력을 향상시키는데 도움이 될 것입니다. 여러분도 곧 연산왕이 될 수 있습니다. 조금만 힘을 내 주세요. 학습 [1주차 원리 중심 복습] → [보충 학습] → [2주차] → …

매스티안 홈페이지 : www.mathtian.com

P02 작은 수의 덧셈

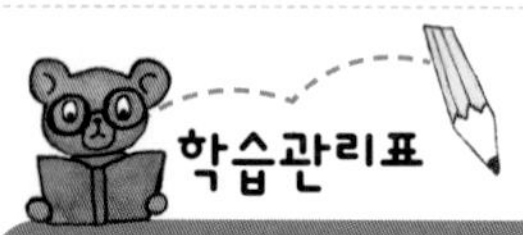

일 자			소요 시간	틀린 문항 수	확인
❶ 일차	월	일	:		
❷ 일차	월	일	:		
❸ 일차	월	일	:		
❹ 일차	월	일	:		
❺ 일차	월	일	:		

2 주

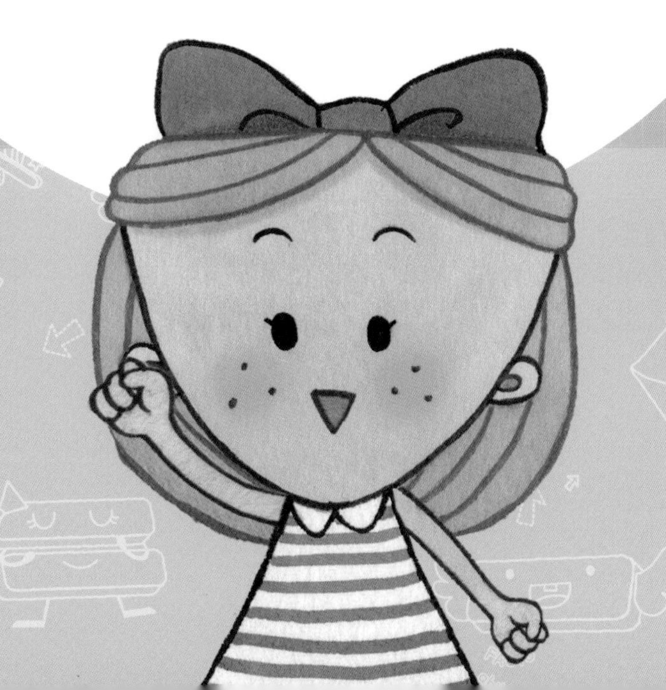

도미노 셈

도미노의 눈을 모아 ● 안에 알맞은 수를 써넣으시오.

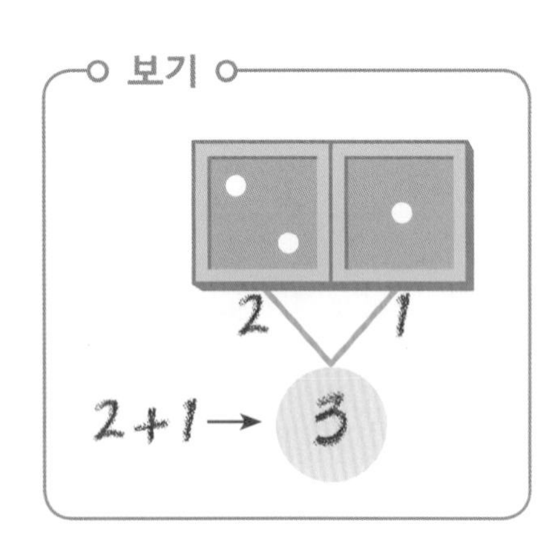

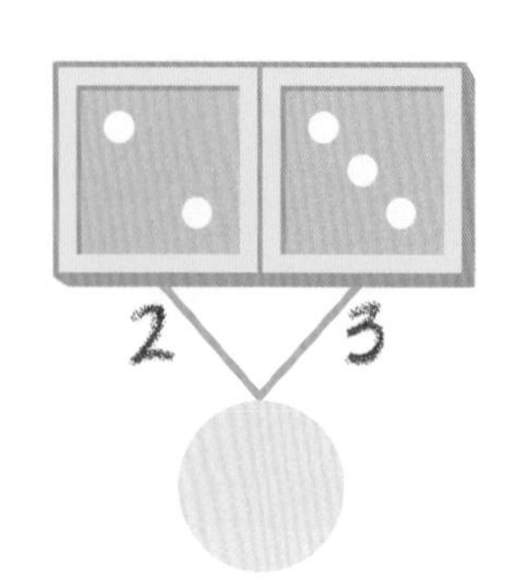

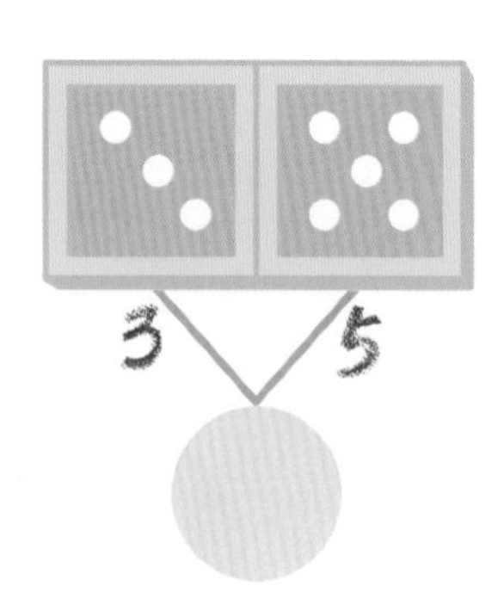

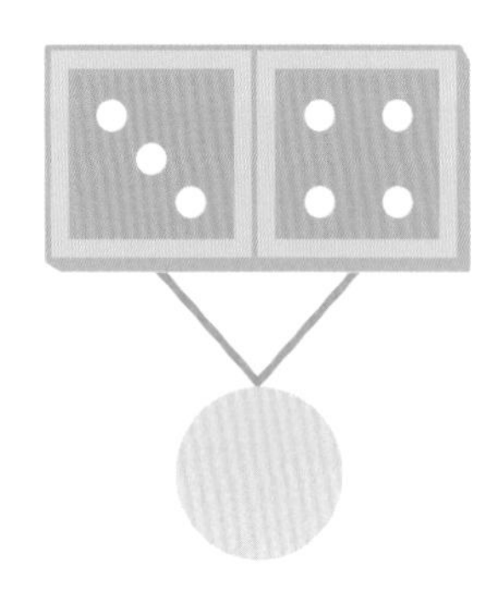

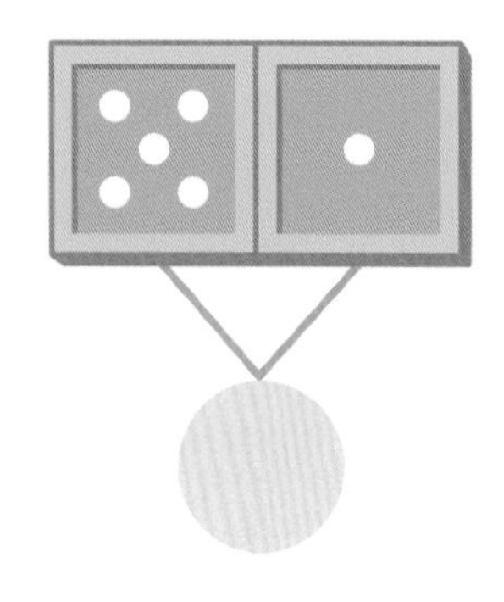

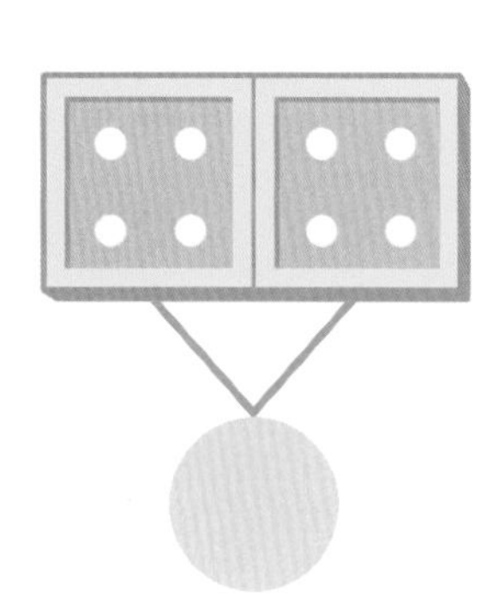

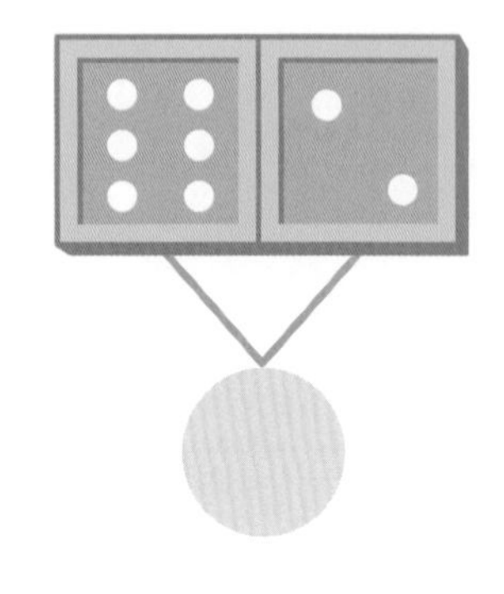

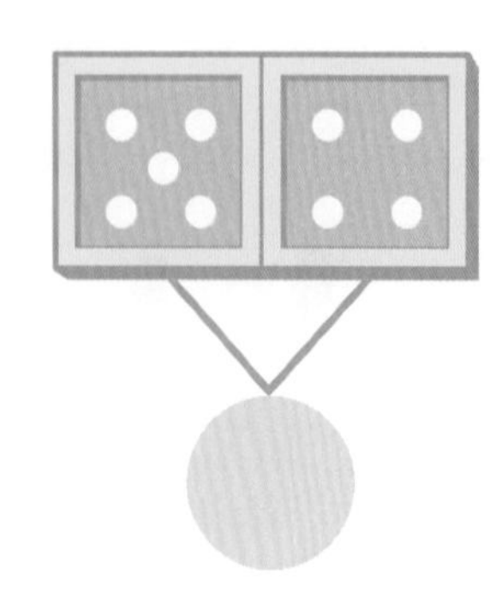

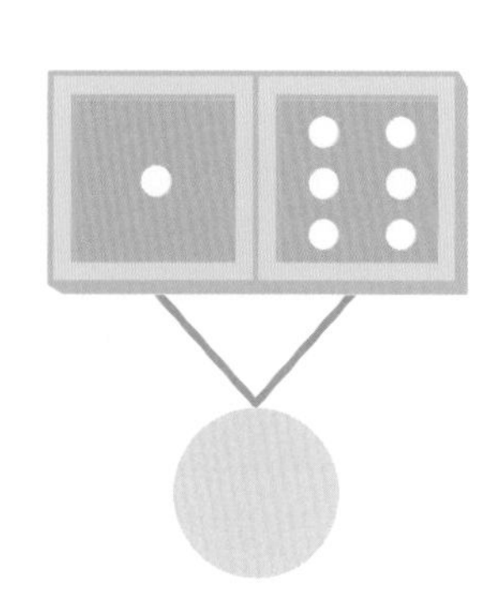

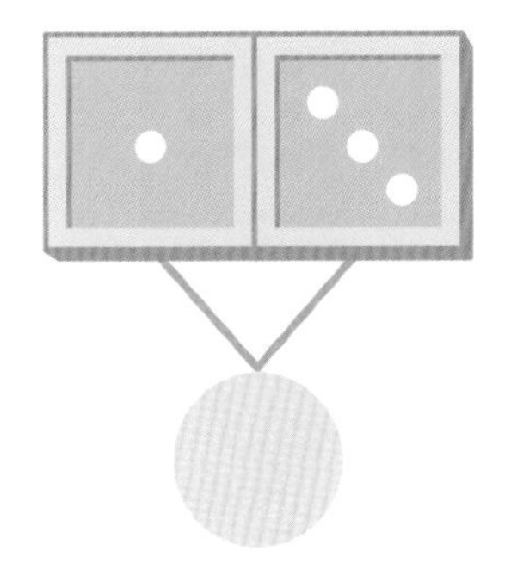
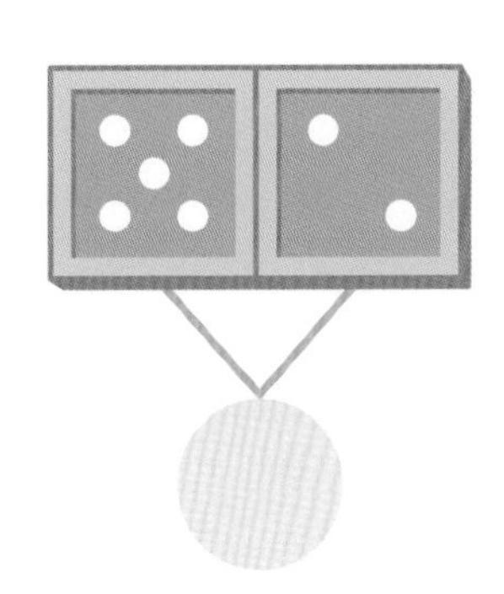
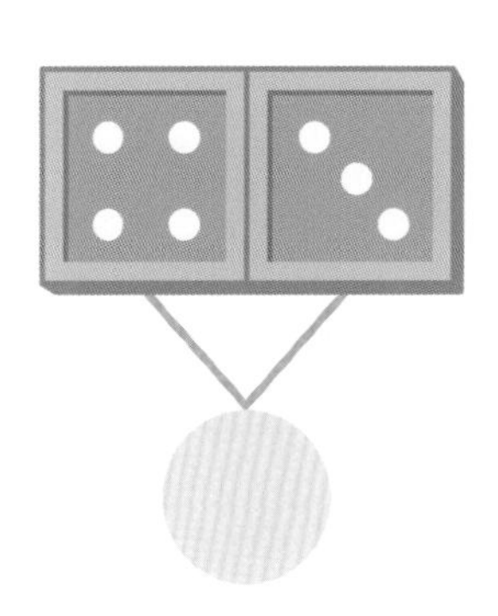

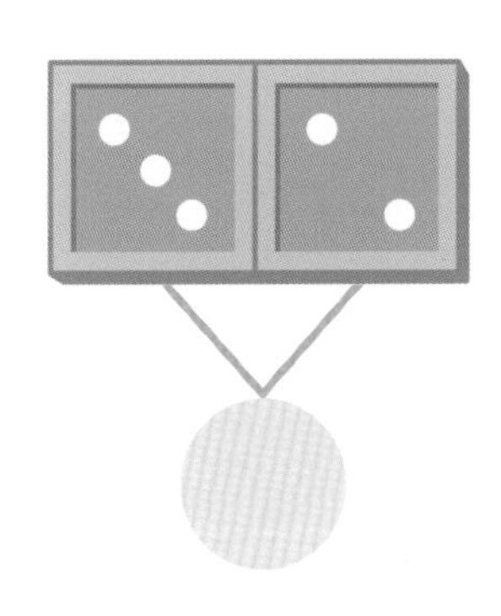
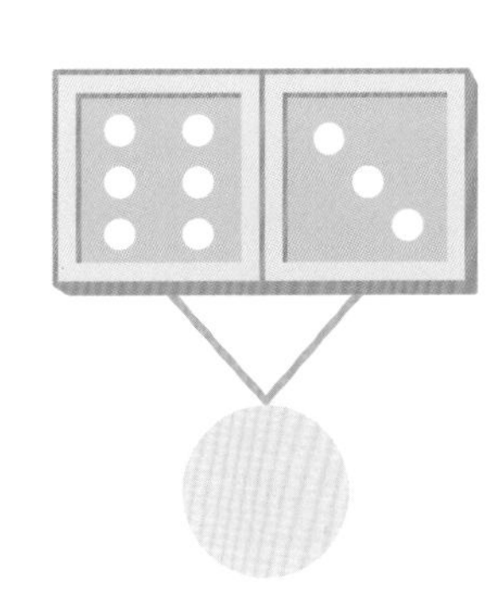
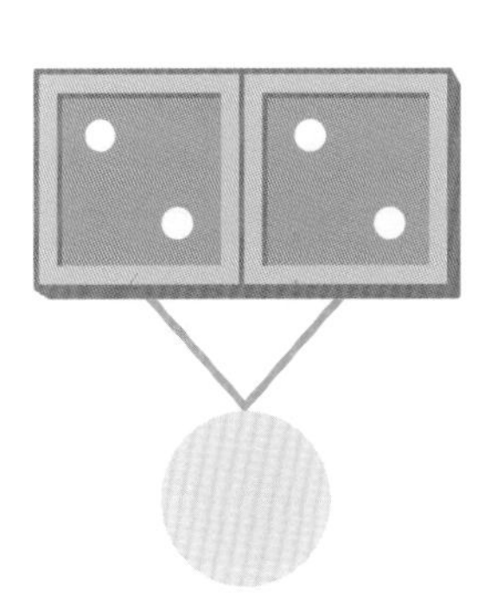

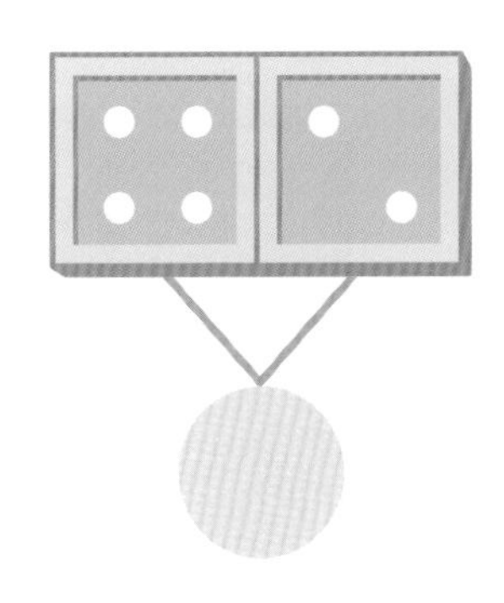
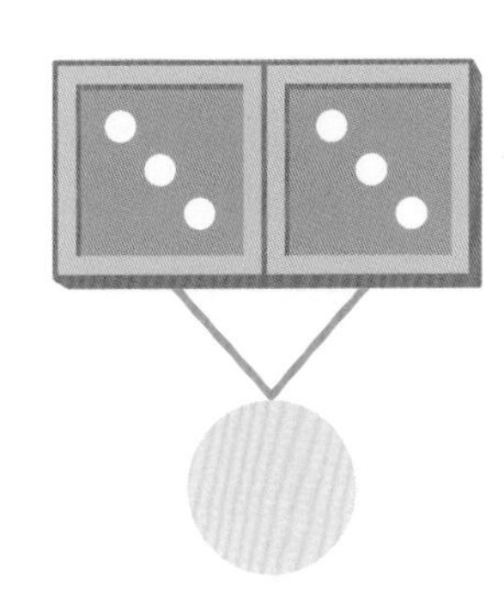
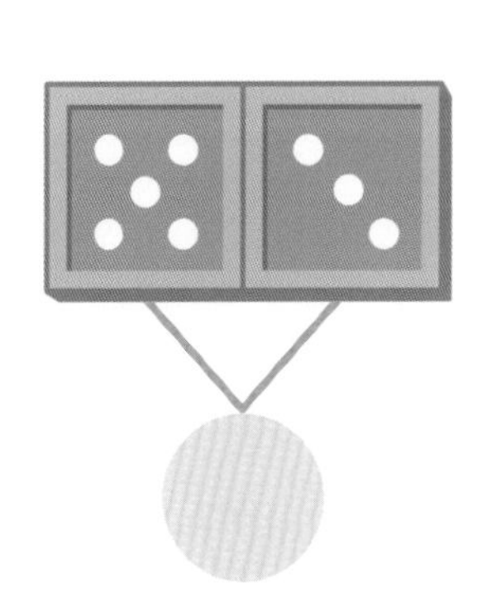

알맞게 도미노의 눈을 그려 넣으시오.

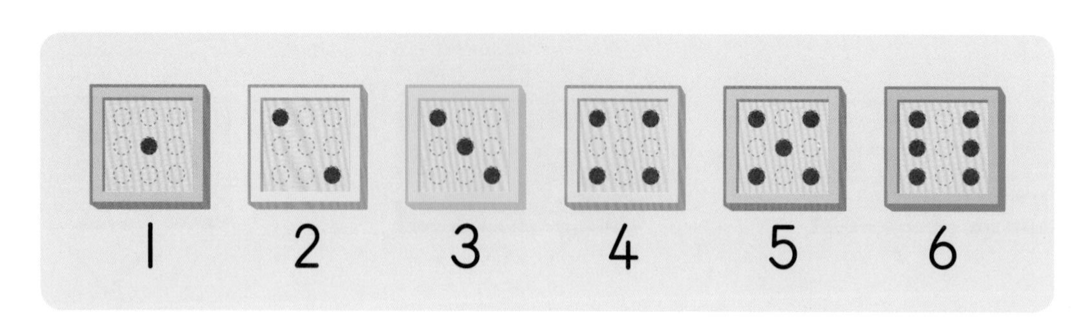

보기

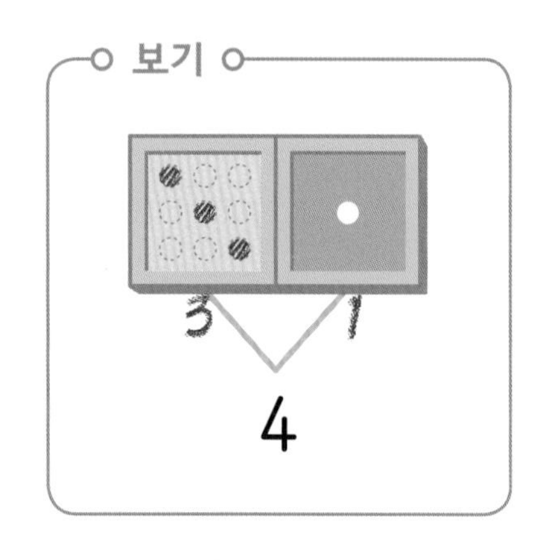

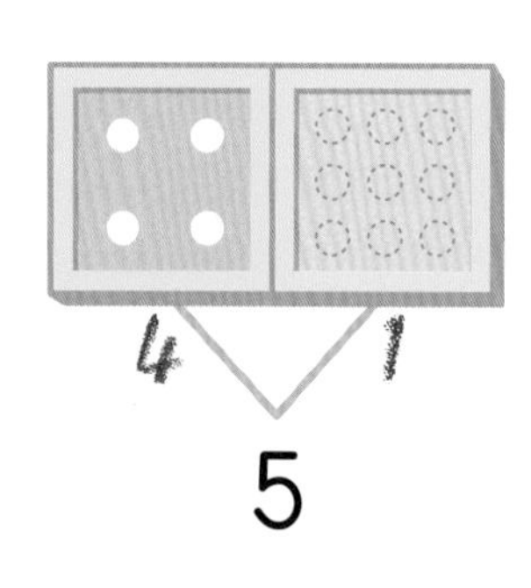

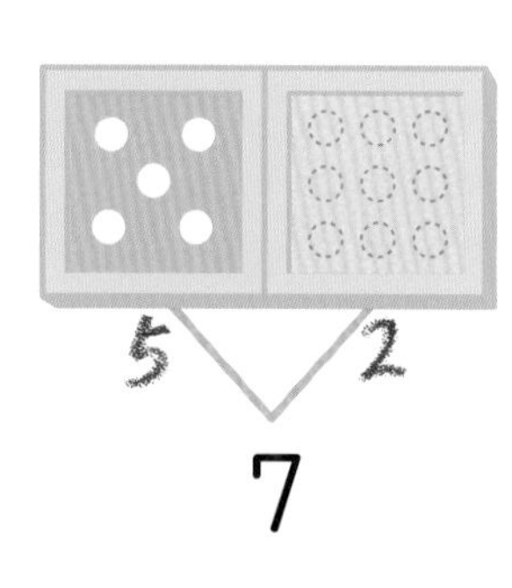

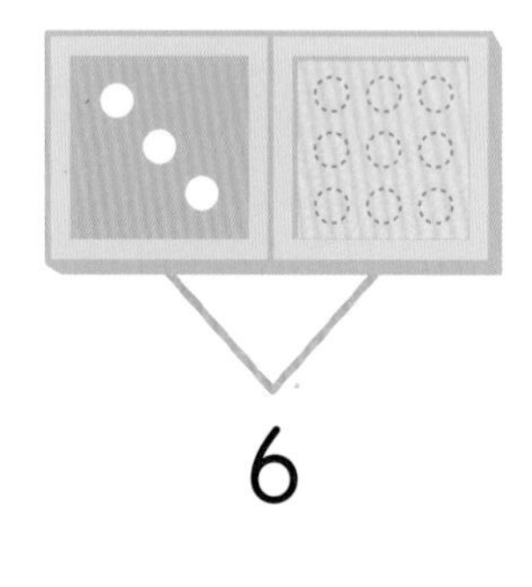

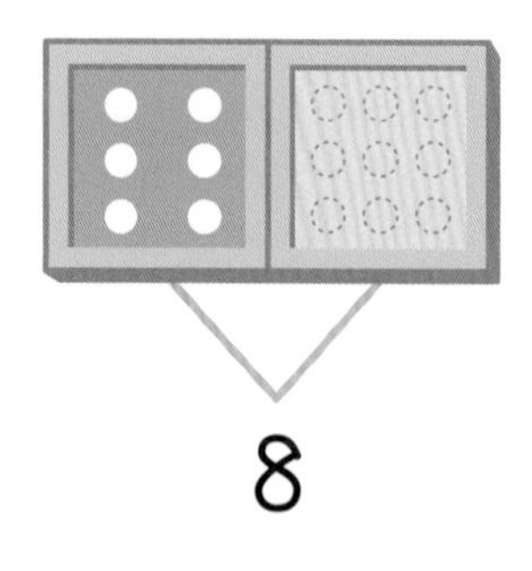

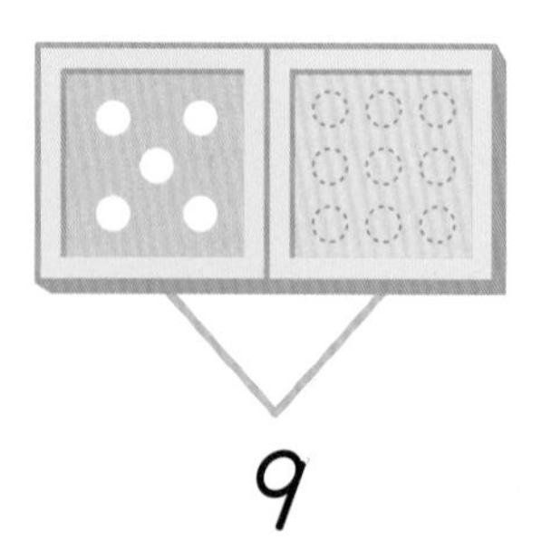

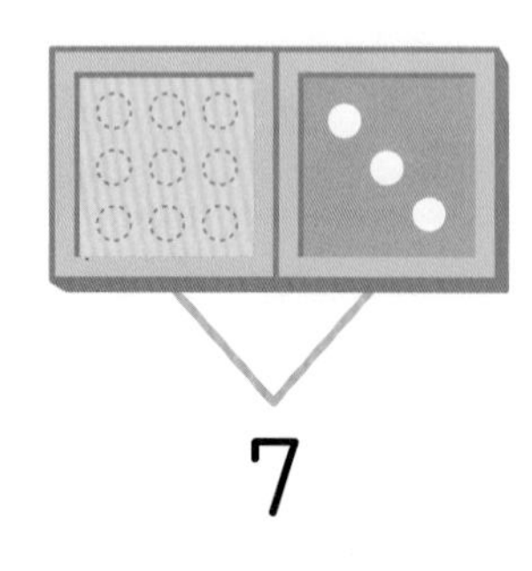

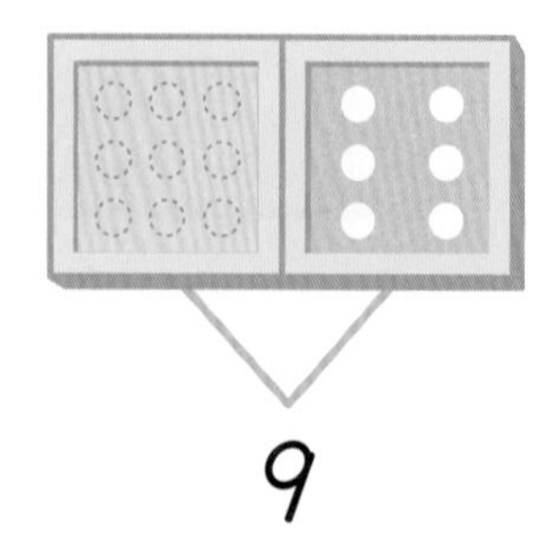

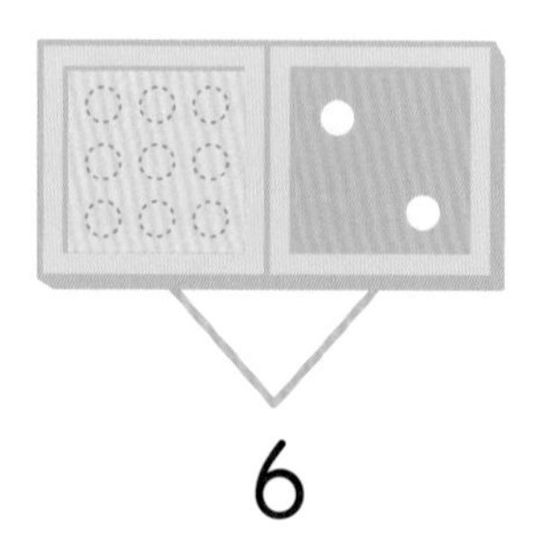

화살표를 따라 계산하고 계산한 값의 순서대로 점을 이어 보시오.

시작 → 2+1 → 3+4 → 2+4 → 1+1 → 5+3

→ 7+2 → 3+2 → 0+1 → 2+2 → 끝

저울 셈

빈 곳에 알맞은 수를 써넣으시오.

보기

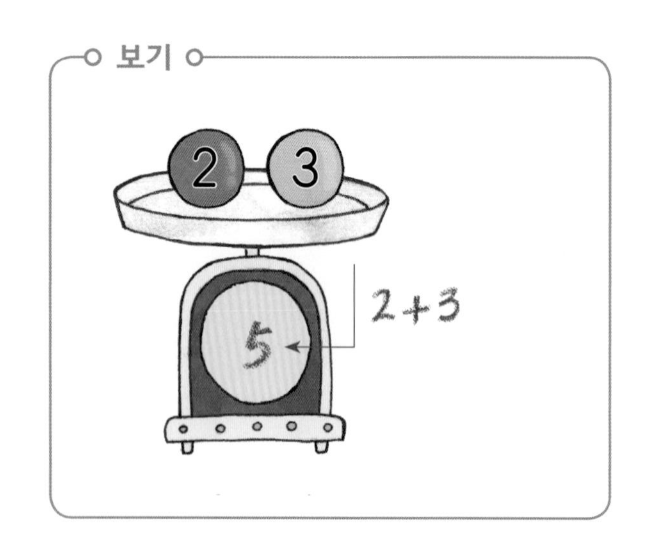

2+1

안에 알맞은 수를 써넣으시오.

보기

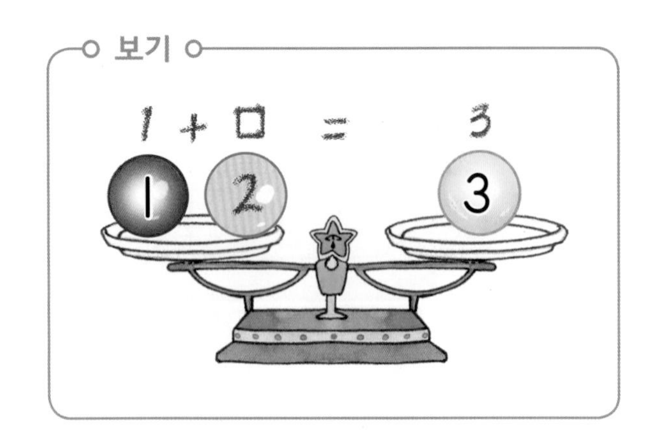

표에서 계산한 값의 색깔을 찾아 ◯ 안에 색칠해 보시오.

준비물 ▸ 색연필

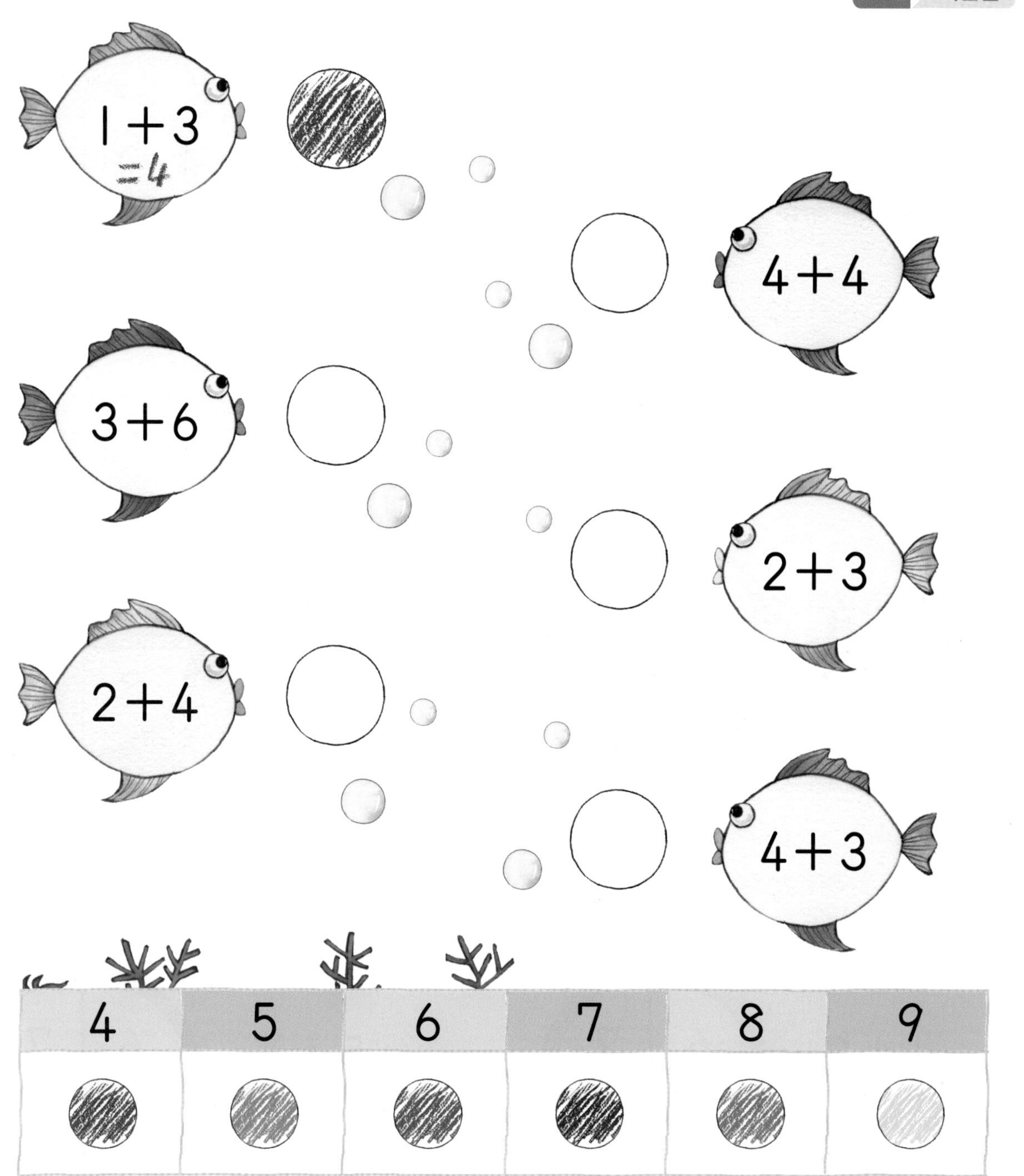

4	5	6	7	8	9
●	●	●	●	●	●

3
일차

과녁 셈

두 수의 합을 찾아 색칠하시오.

2+3

5 6
7 8

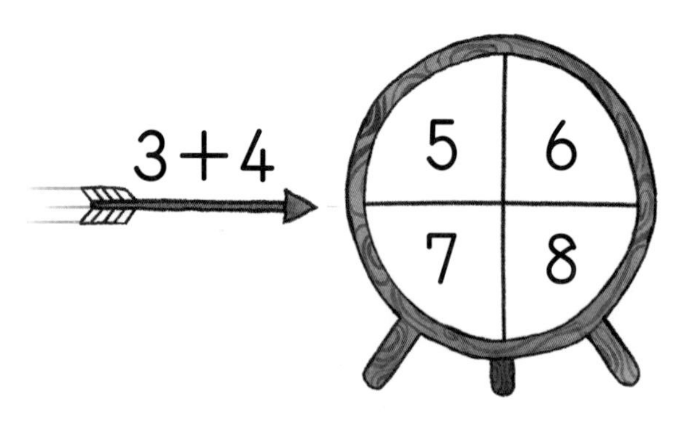

4+2

6 7
8 9

1+7

6 7
8 9

5+4

6 7
8 9

과녁에 맞힌 점수를 ▢ 안에 써넣으시오.

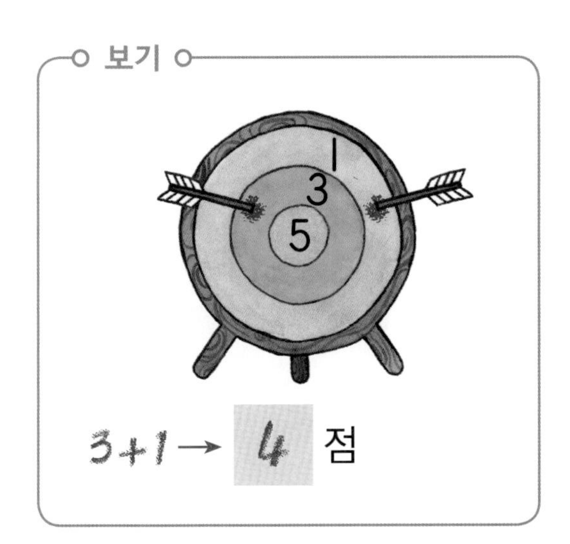

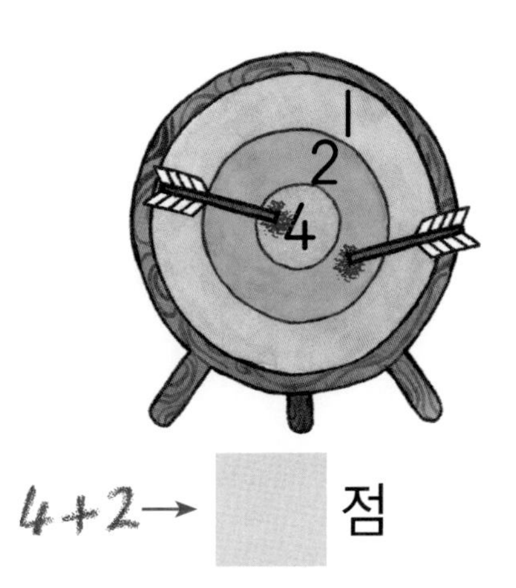

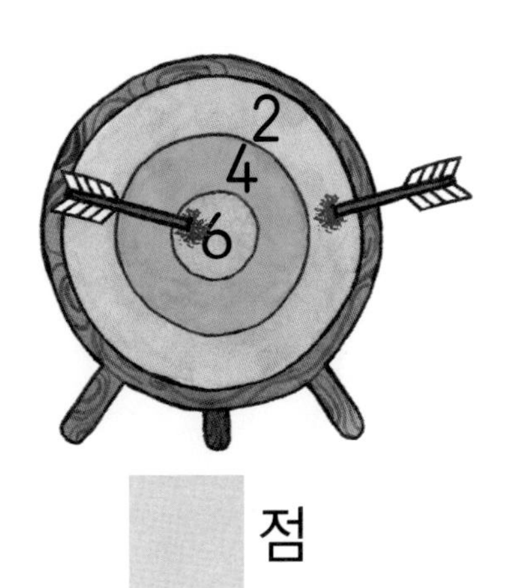

2
P02

주어진 점수가 되도록 남은 화살 1발이 맞은 곳을 찾아 ✸표 하시오.

덧셈을 하여 관계있는 것끼리 연결하시오.

4 일차 사다리 셈

사다리타기를 하여 ▢ 안에 알맞은 수를 써넣으시오.

보기

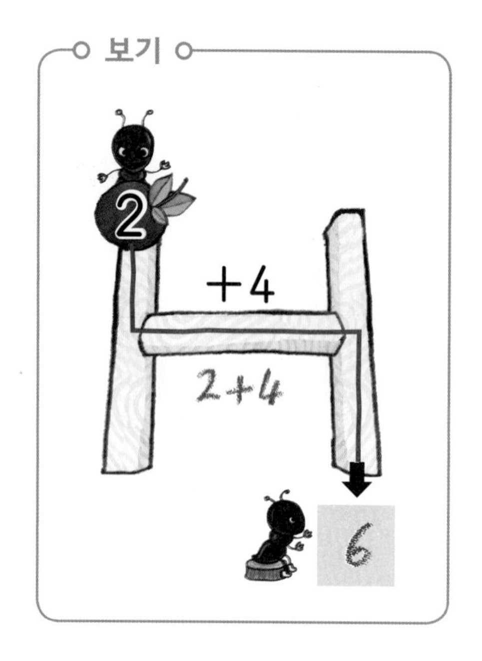

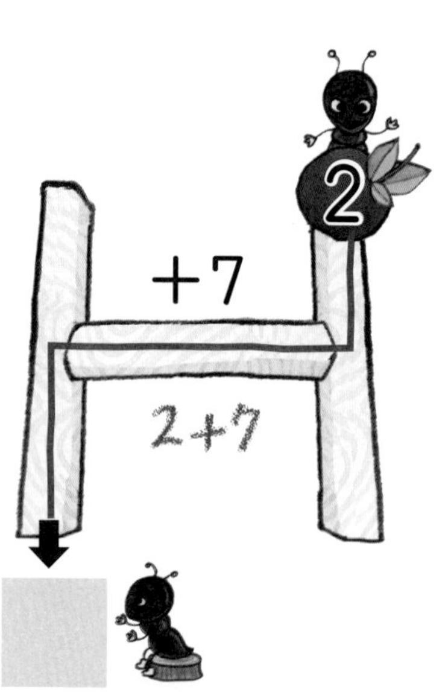

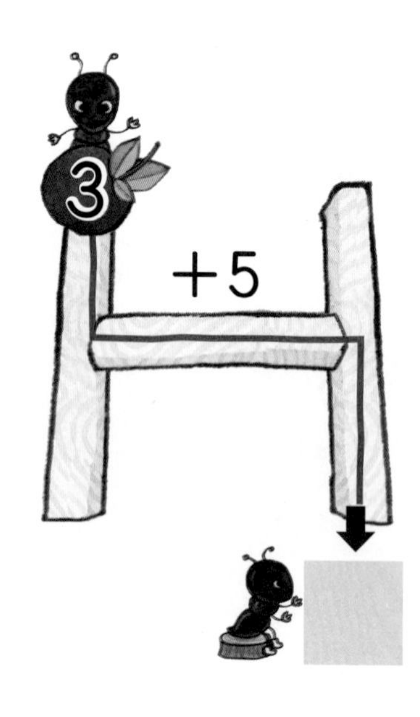

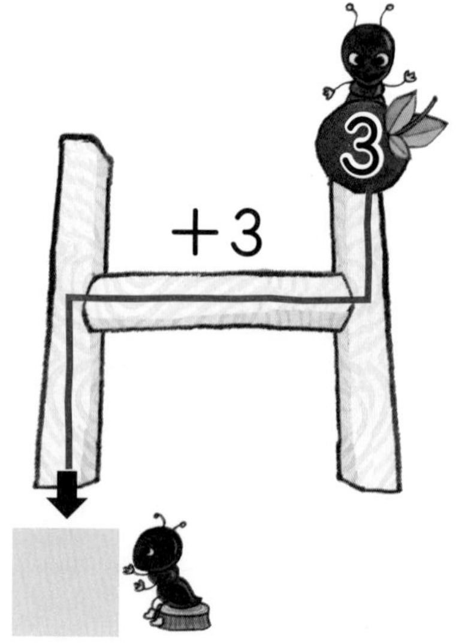

3
6
+2
6+2
3+2

1
4
+3
4+3
1+3

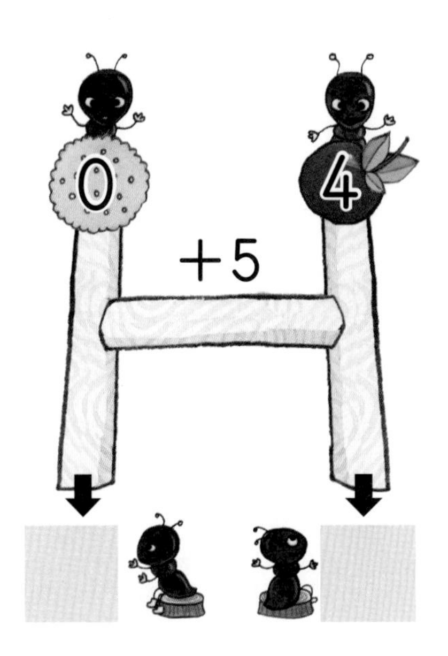

0
4
+5

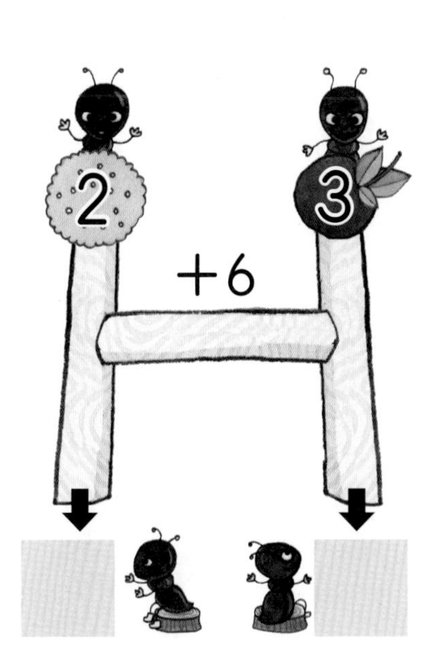

2
3
+6

사다리타기를 하여 ▒ 안에 알맞은 수를 써넣으시오.

덧셈을 하여 아기 곰을 엄마 곰에게 데려다 주시오.

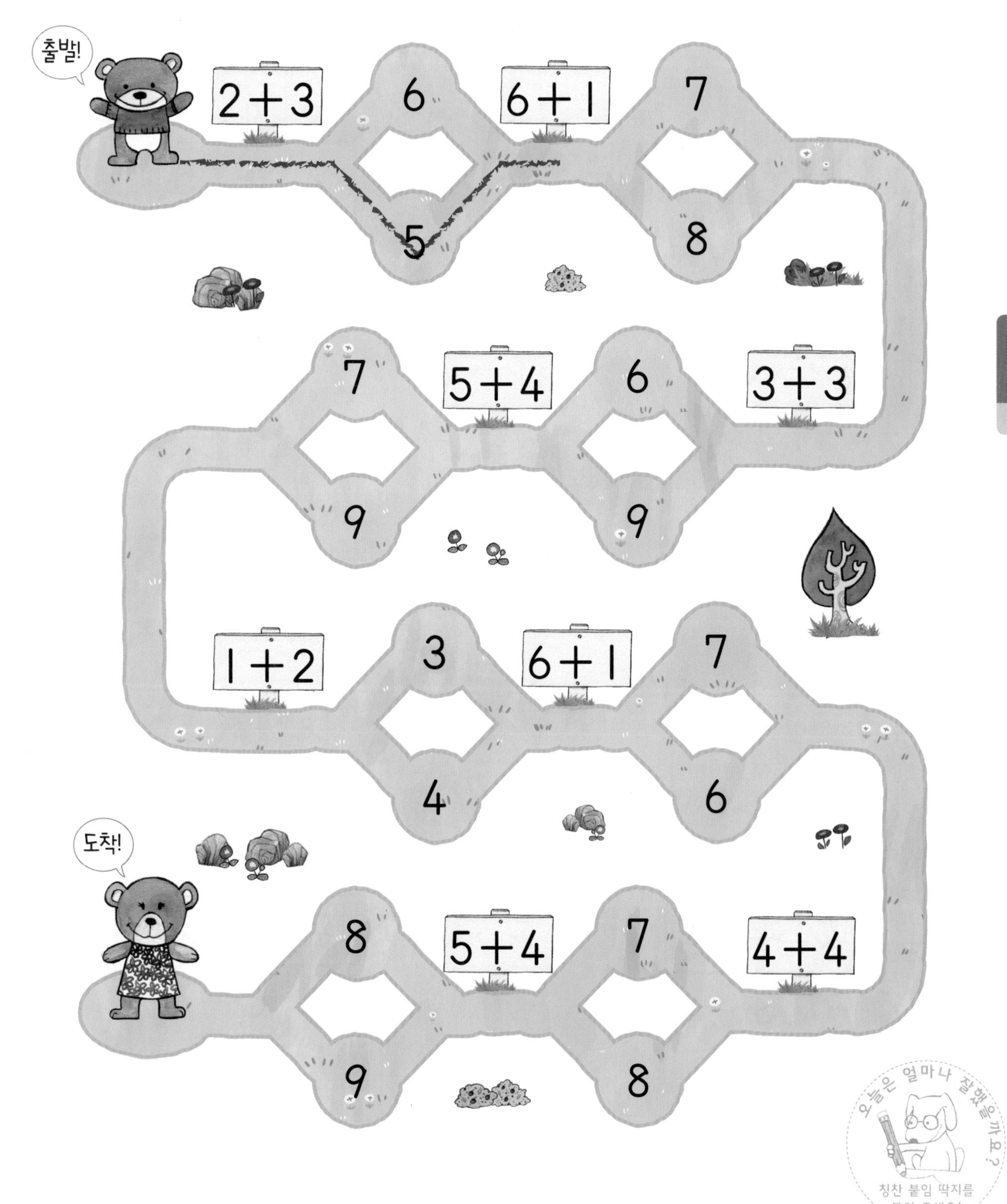

오늘은 얼마나 잘했을까요?
칭찬 붙임 딱지를 붙여 주세요!

도형 셈

규칙을 찾아 ☐ 안에 알맞은 수를 써넣으시오.

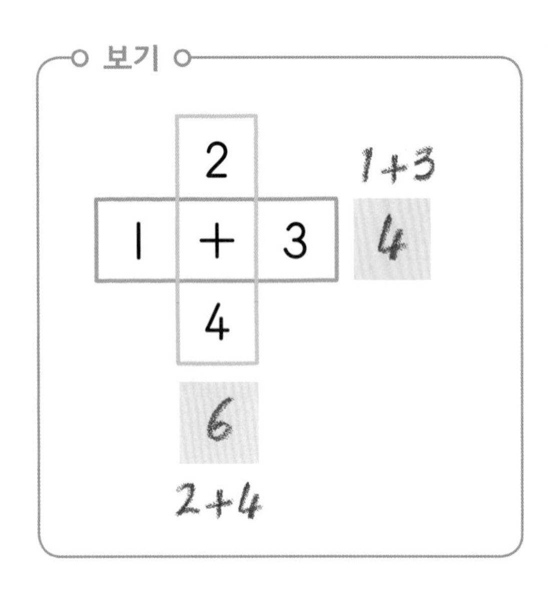

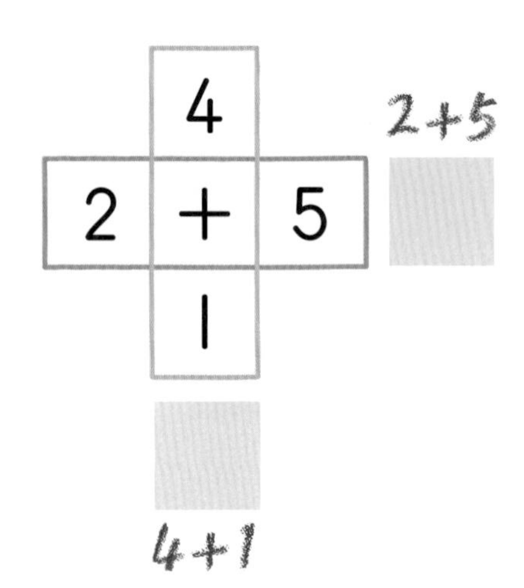

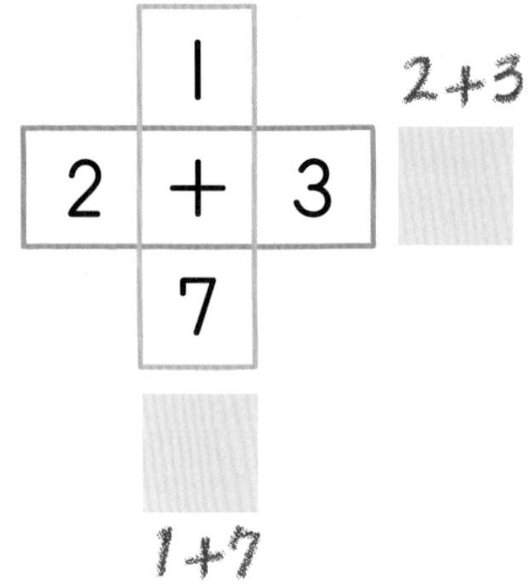

	5	
4	+	2
	3	

	3	
7	+	2
	6	

규칙을 찾아 ▒ 안에 알맞은 수를 써넣으시오.

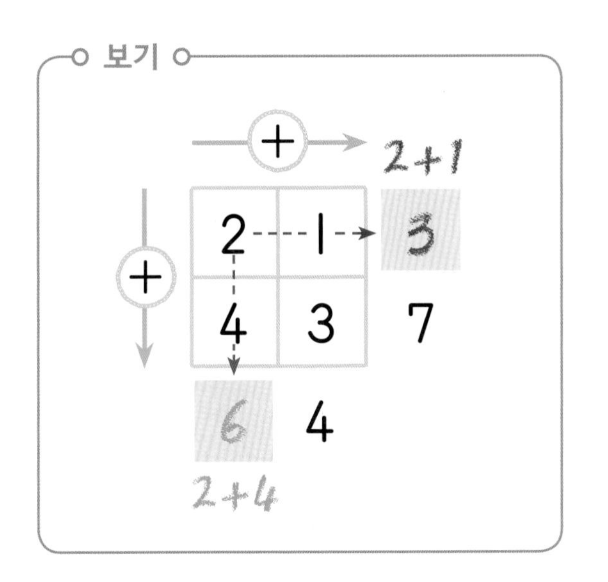

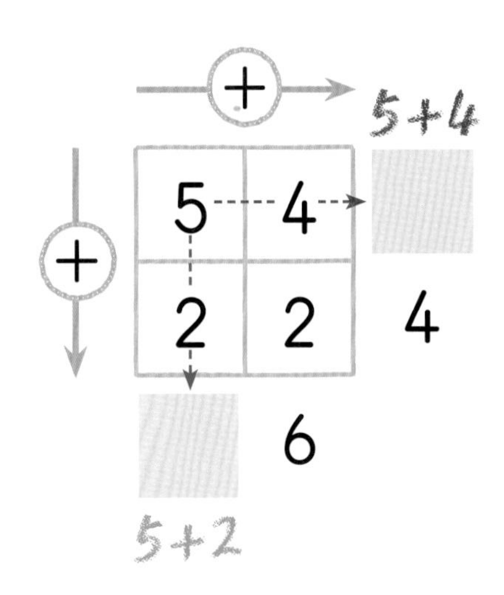

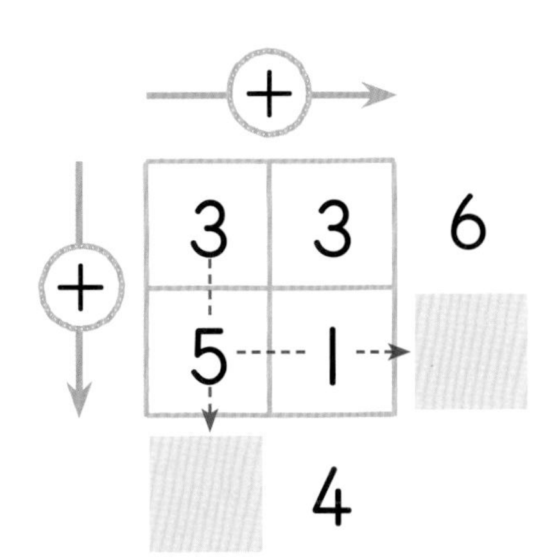

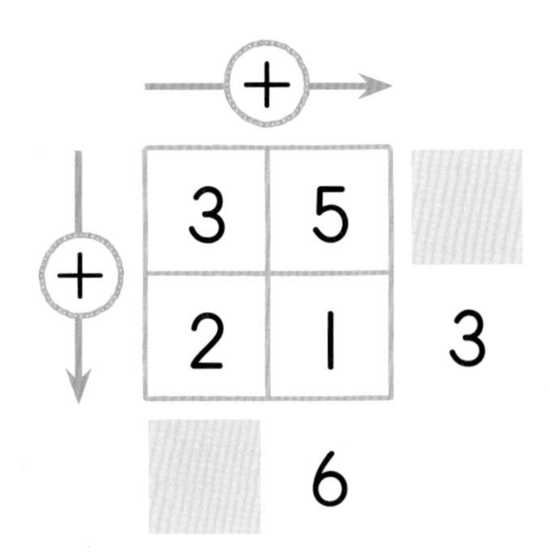

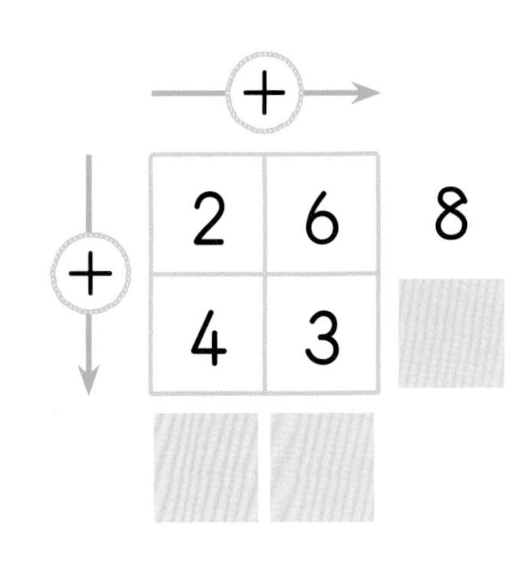

2
P02

규칙을 찾아 ▒ 안에 알맞은 수를 써넣으시오.

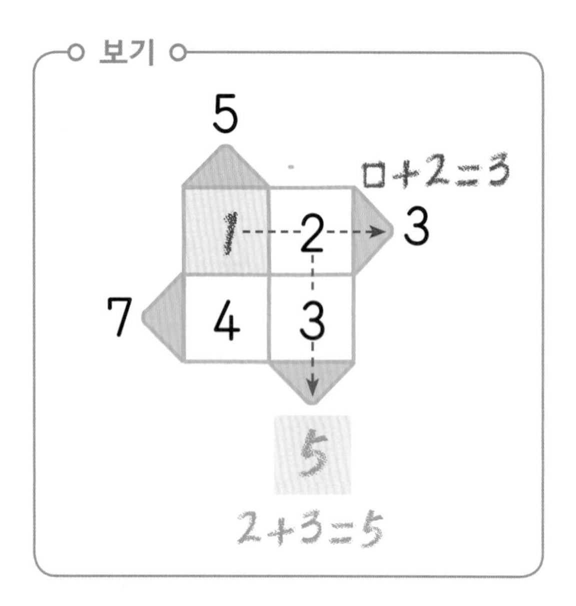

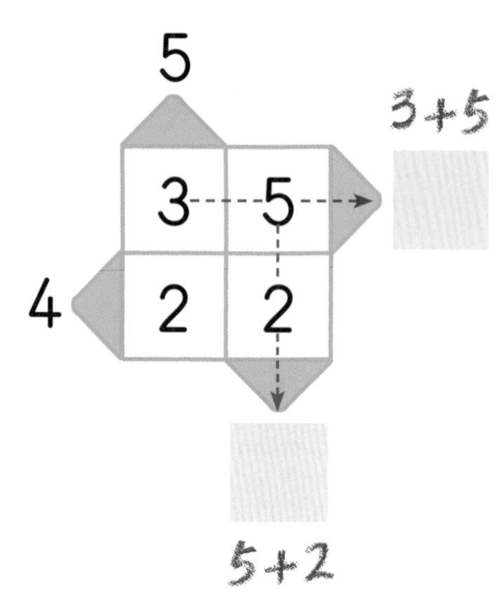

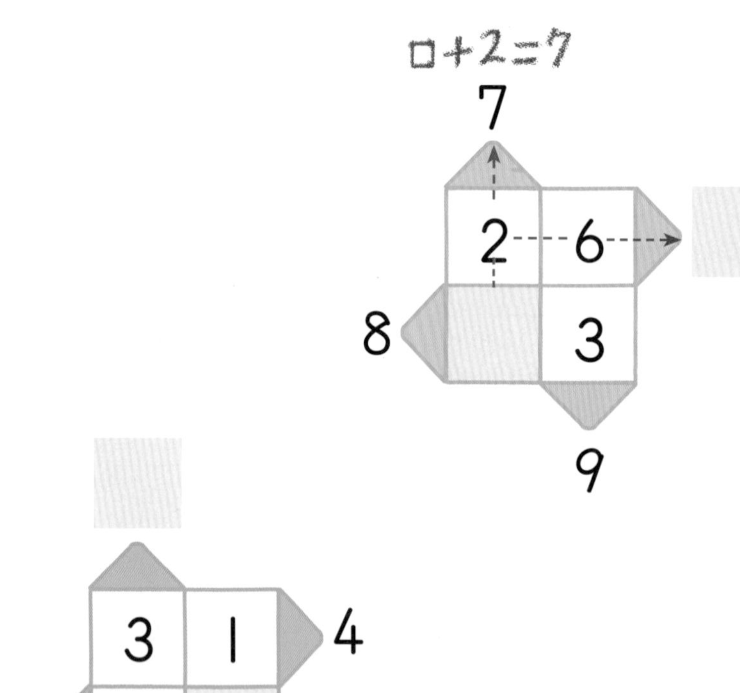

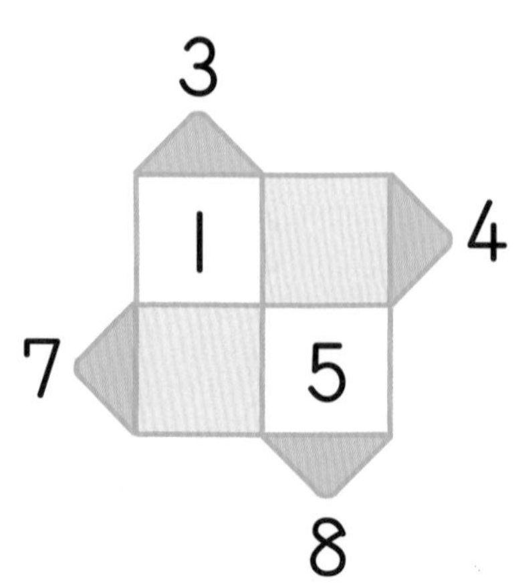

3 1 4

8 2

7

덧셈을 하여 친구들이 입은 옷을 색칠해 보시오.

준비물 ▸ 색연필

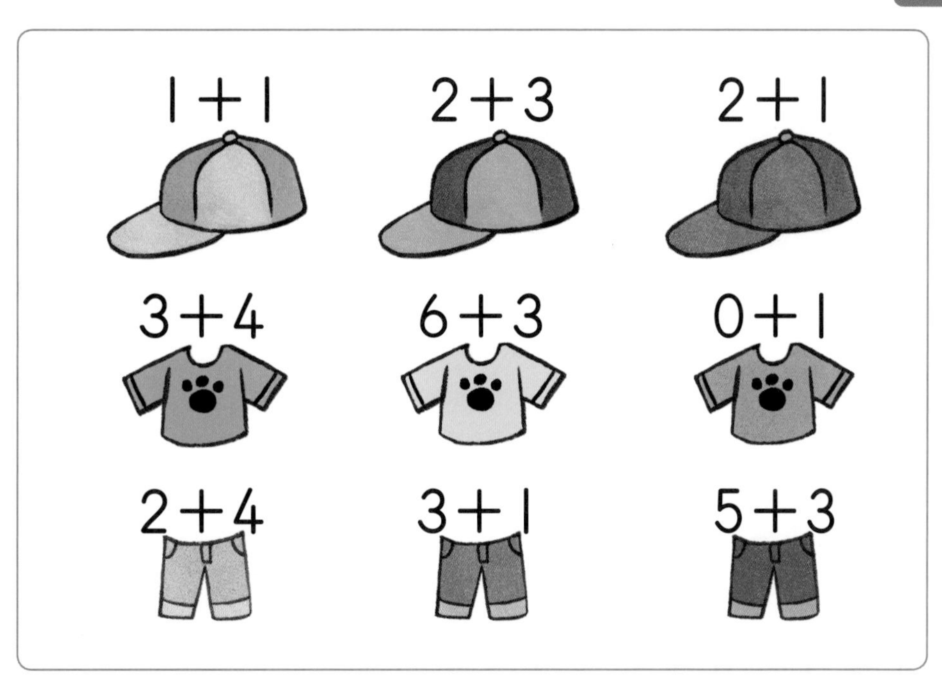

오늘은 얼마나 잘했을까요?
칭찬 붙임 딱지를 붙여 주세요!

P02 작은 수의 덧셈

학습관리표

일 자			소요 시간	틀린 문항 수	확인
1 일차	월	일	:		
2 일차	월	일	:		
3 일차	월	일	:		
4 일차	월	일	:		
5 일차	월	일	:		

3 주

합이 같은 수

두 수의 합이 주어진 수가 되도록 연결하시오.

보기

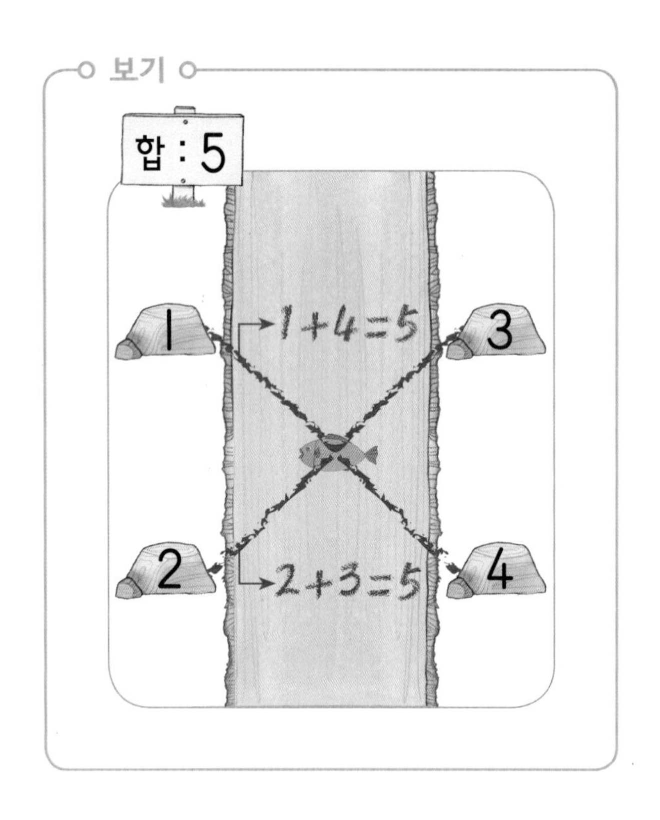

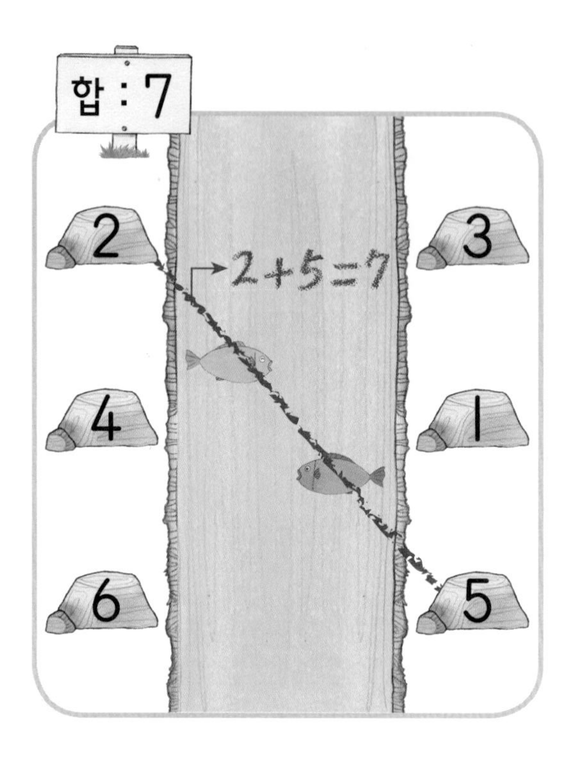

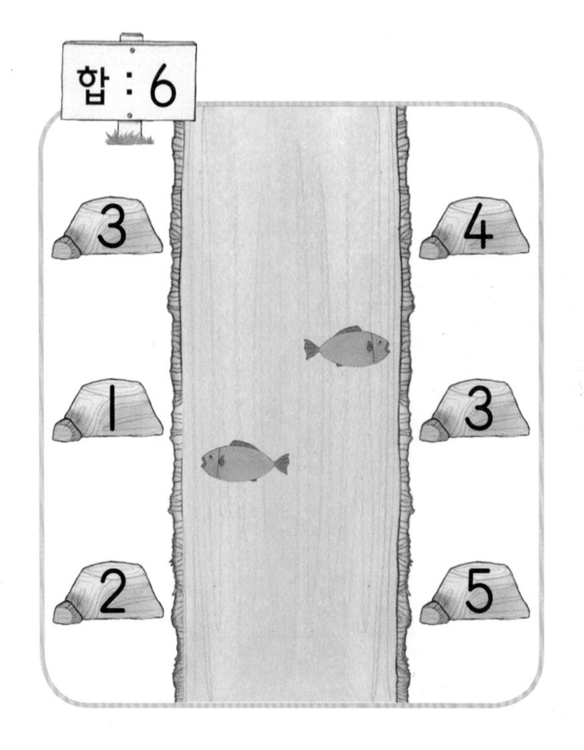

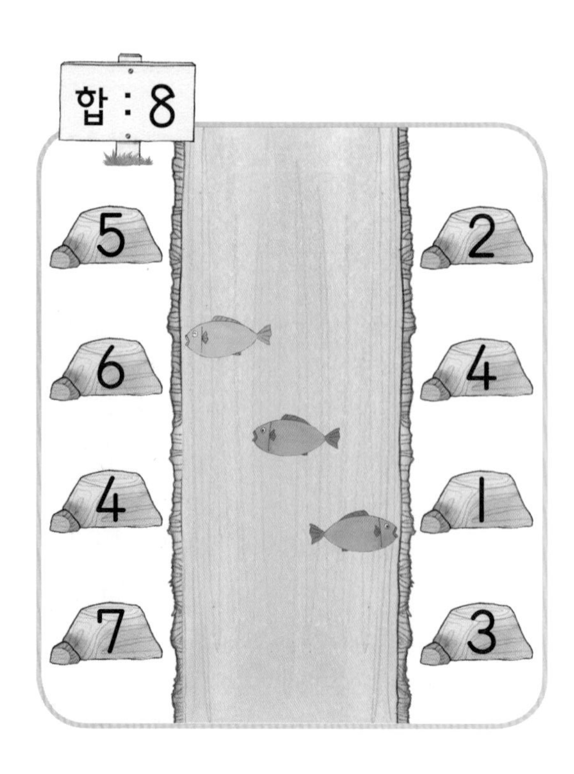

3
P02

두 수의 합이 주어진 수가 되도록 다음 모양으로 묶어 보시오.

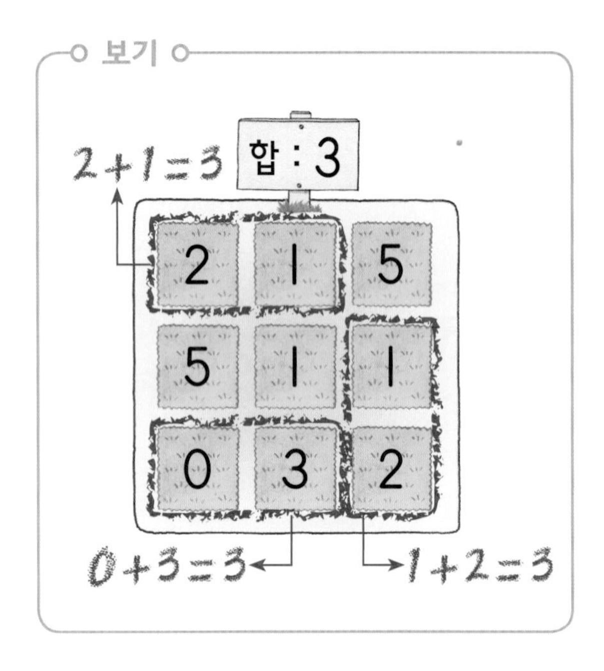

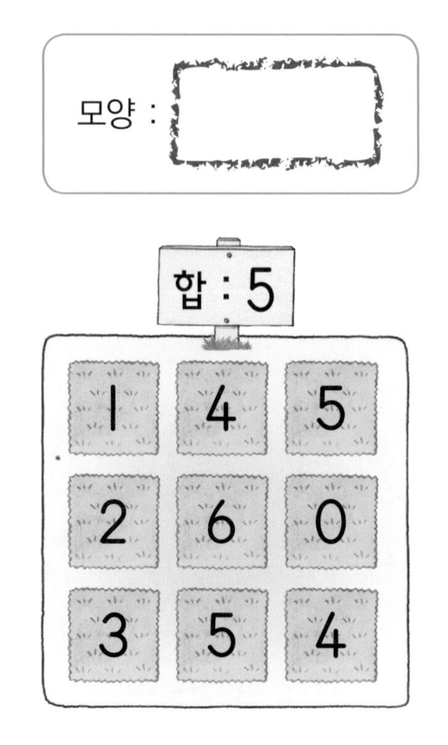

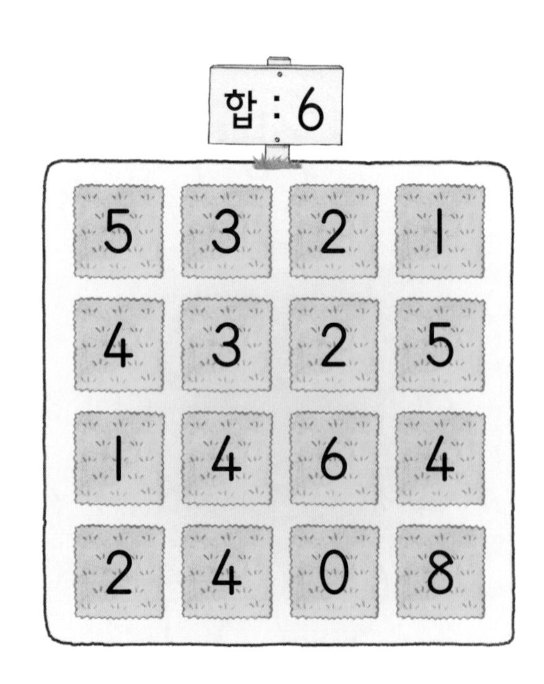

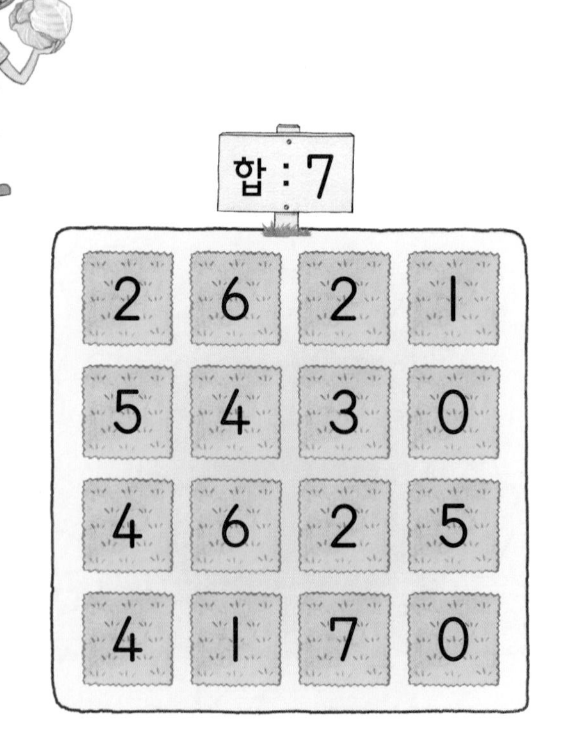

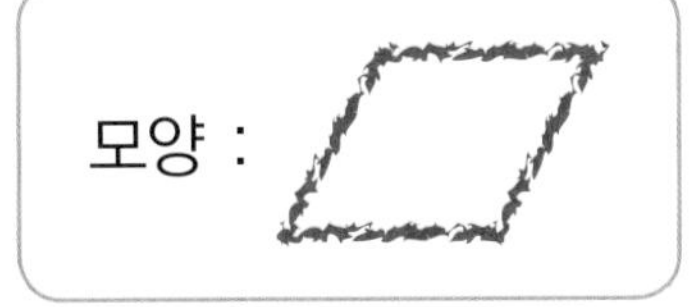
모양 :

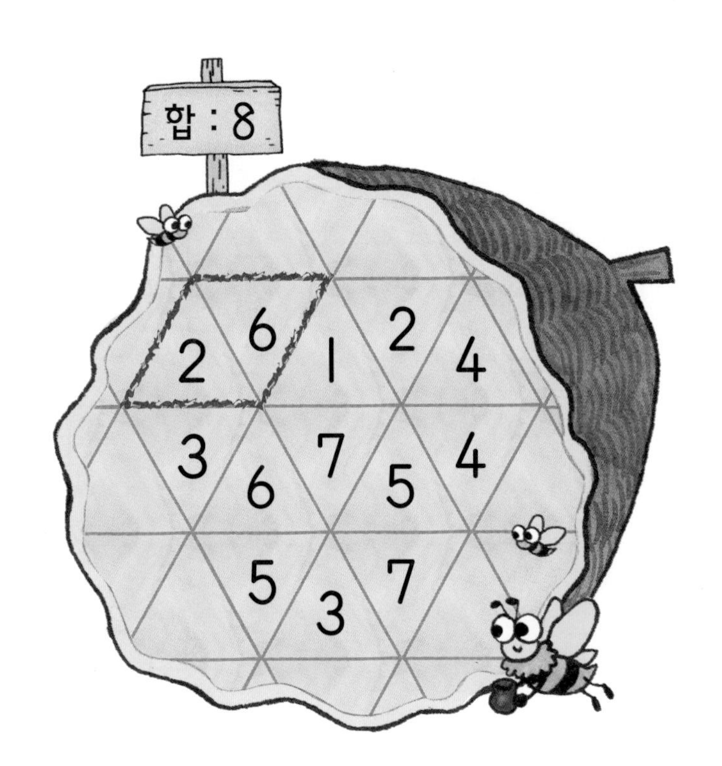
합 : 8
2 6 1 2 4
3 6 7 5 4
5 3 7

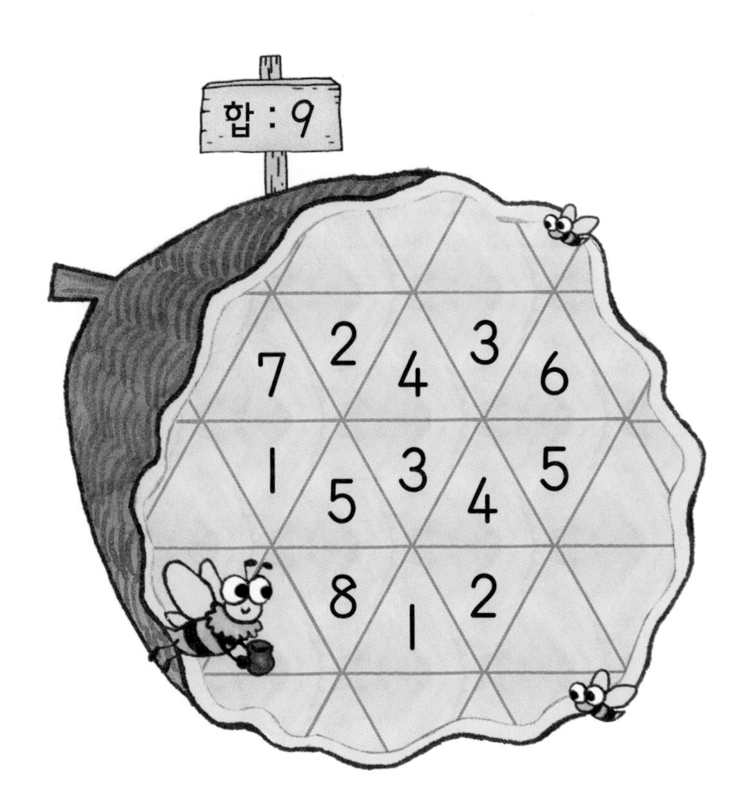
합 : 9
7 2 4 3 6
1 5 3 4 5
8 1 2

오늘은 얼마나 잘했을까요?
칭찬 붙임 딱지를
붙여 주세요!

2 일차 덧셈표

안에 알맞은 수를 써넣으시오.

보기

4 + 3 = 7

① 4+3=7

② 7 + 2 = 9

2 + 4 = □, □ + 2 = □

4 + 5 = □

4 + 3 = □, □ + 1 = □

3 + 3 = □

□ + 3 = □

□ + 7 = □

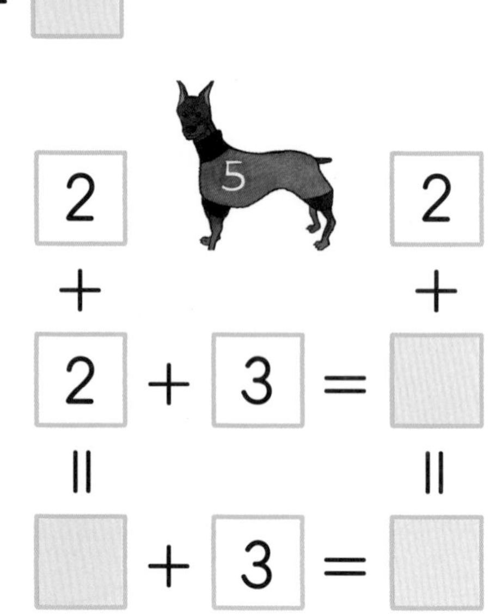

2 + 2 = □, 2 + 3 = □, 2 + □ = □

□ + 3 = □

4	+	1	=	□
+				+
2				3
‖				‖
□	+	2	=	□

1	+	□	=	3
+				+
□				□
‖				‖
7	+	□	=	9

3	+	□	=	3
+				+
4				5
‖				‖
□	+	□	=	□

1	+	□	=	2
+				+
□	+	4	=	□
‖				‖
3	+	□	=	8

□	+	3	=	□
+				+
2	+	□	=	4
‖				‖
4	+	□	=	□

3
P02

가로, 세로에 쓰여 있는 수를 더하여 빈칸을 채우시오.

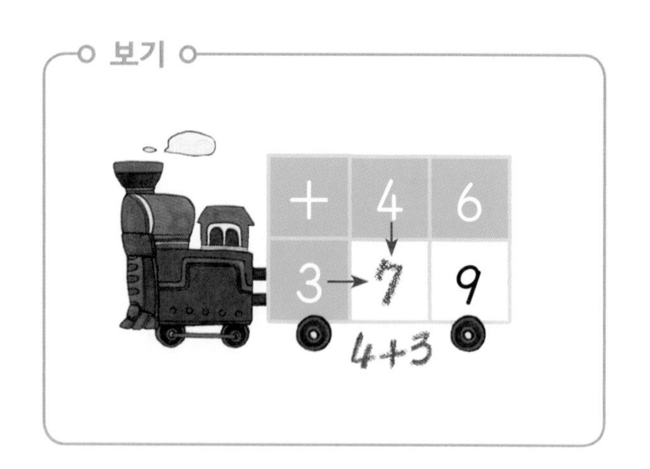

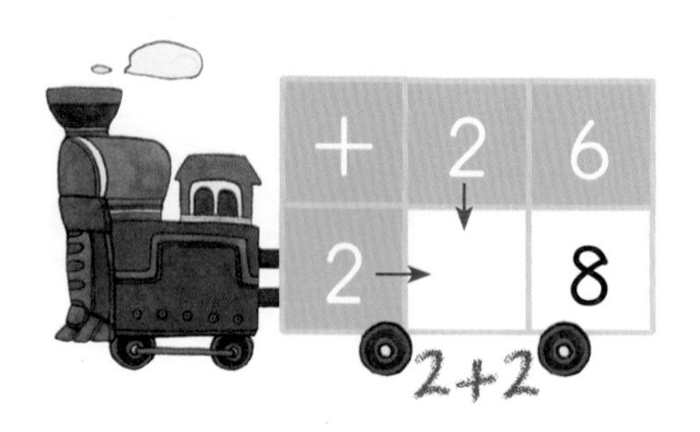

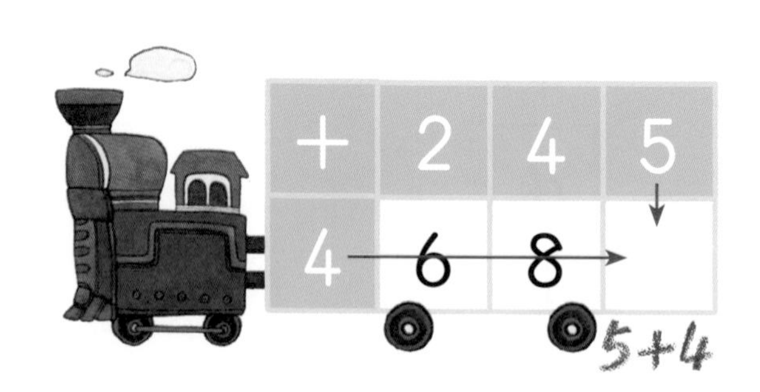

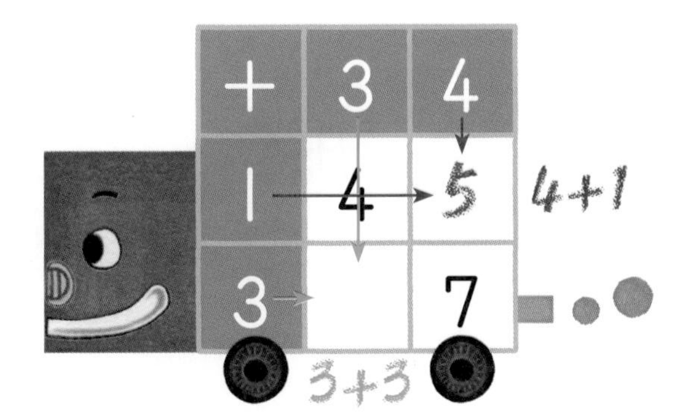

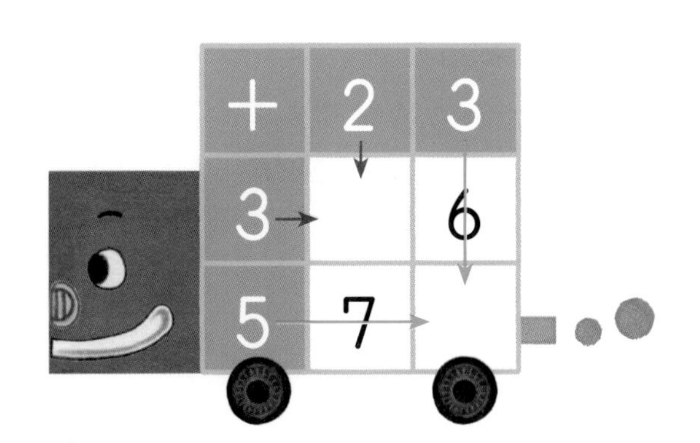

오늘은 얼마나 잘했을까요?
칭찬 붙임 딱지를 붙여 주세요!

길 찾기

올바른 덧셈식이 되도록 선을 그어 보시오.

보기

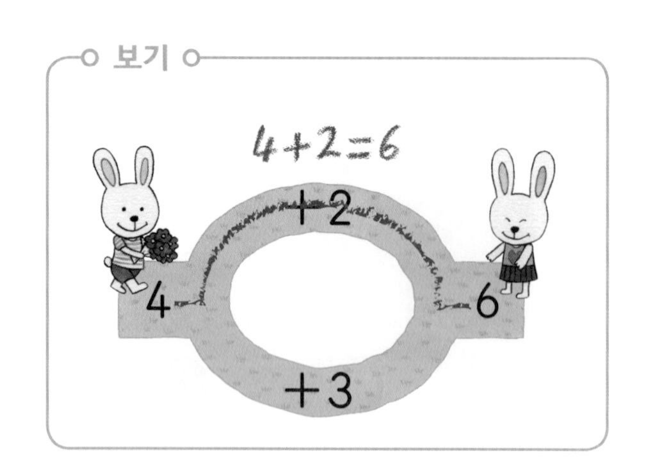

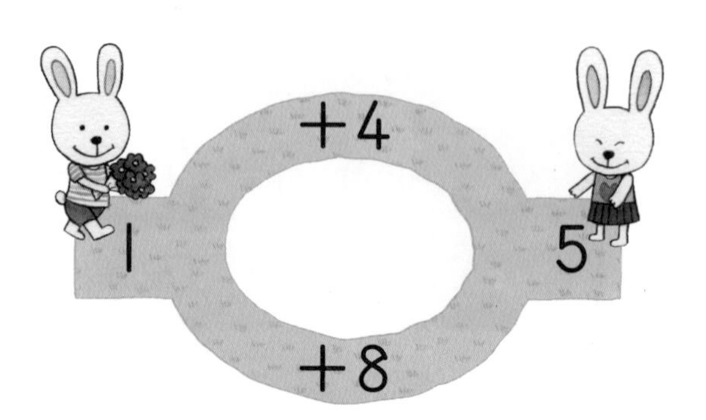

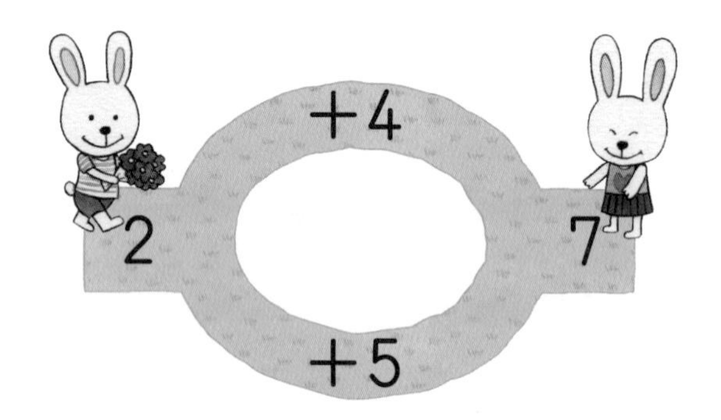

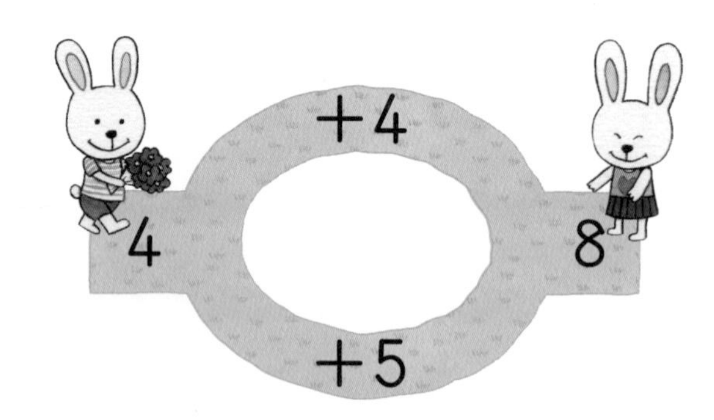

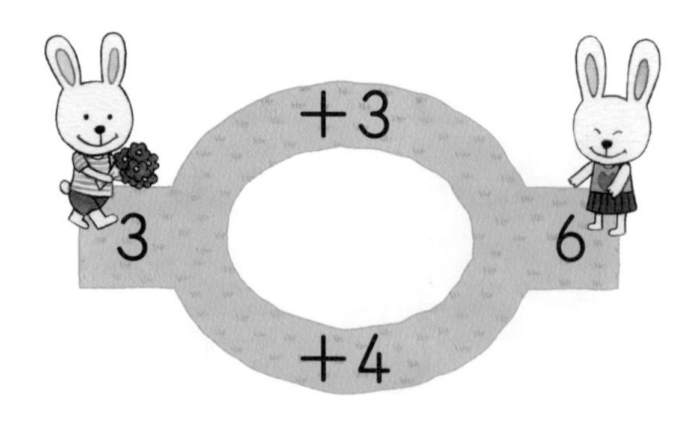

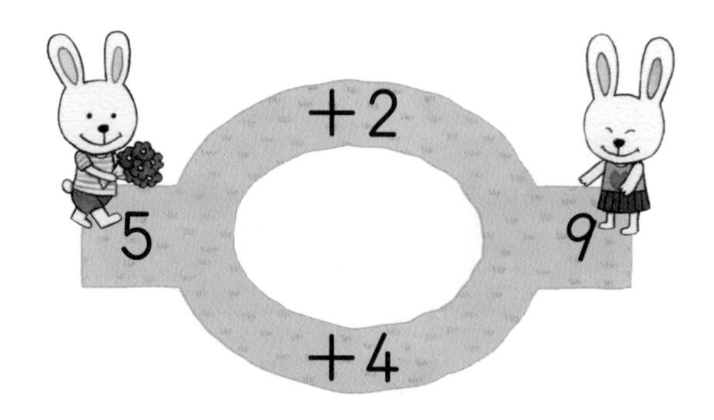

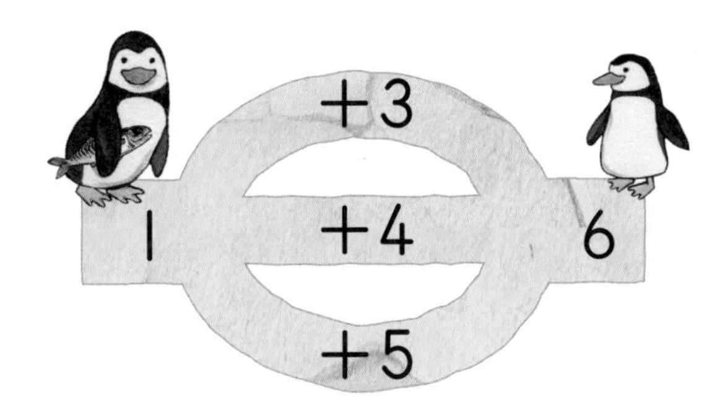

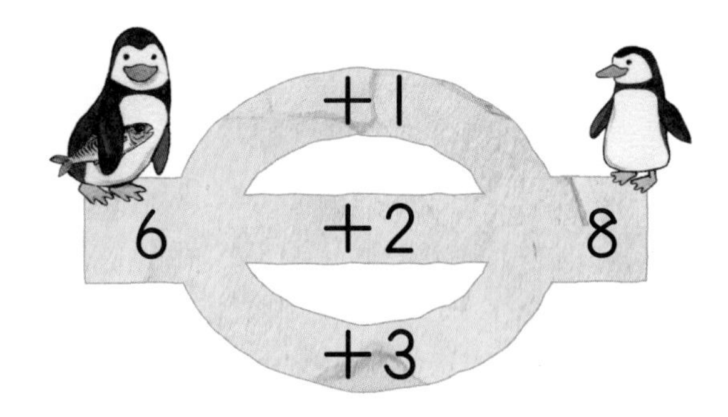

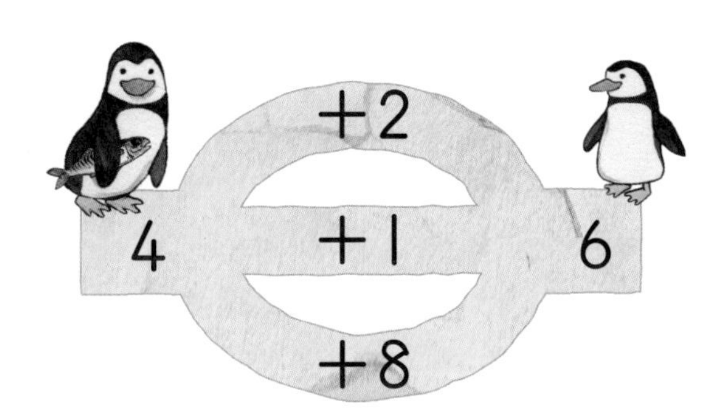

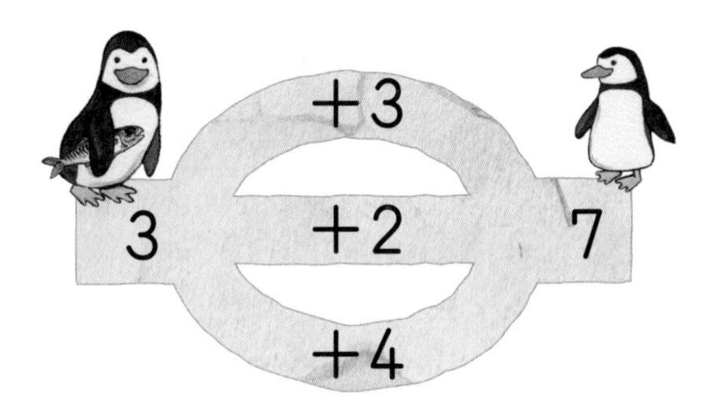

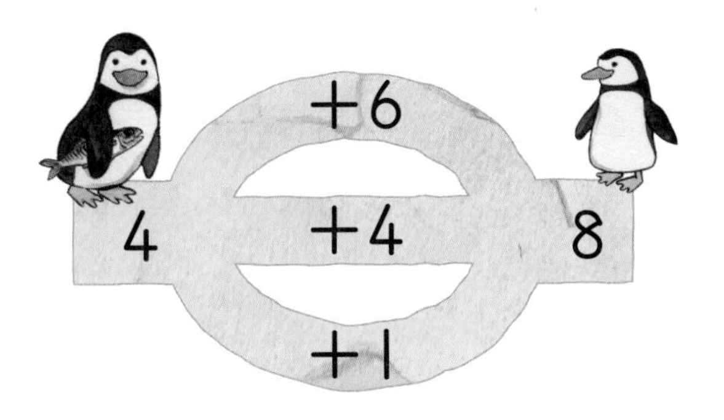

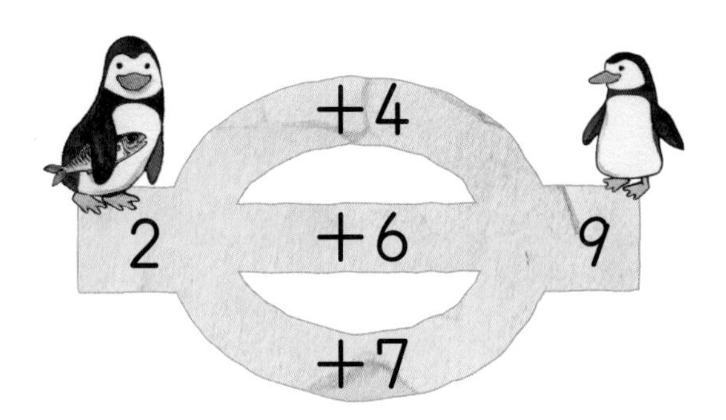

3
P02

자동차가 지나간 길의 수의 합이 나오도록 길을 그리고, 식으로 나타내시오.

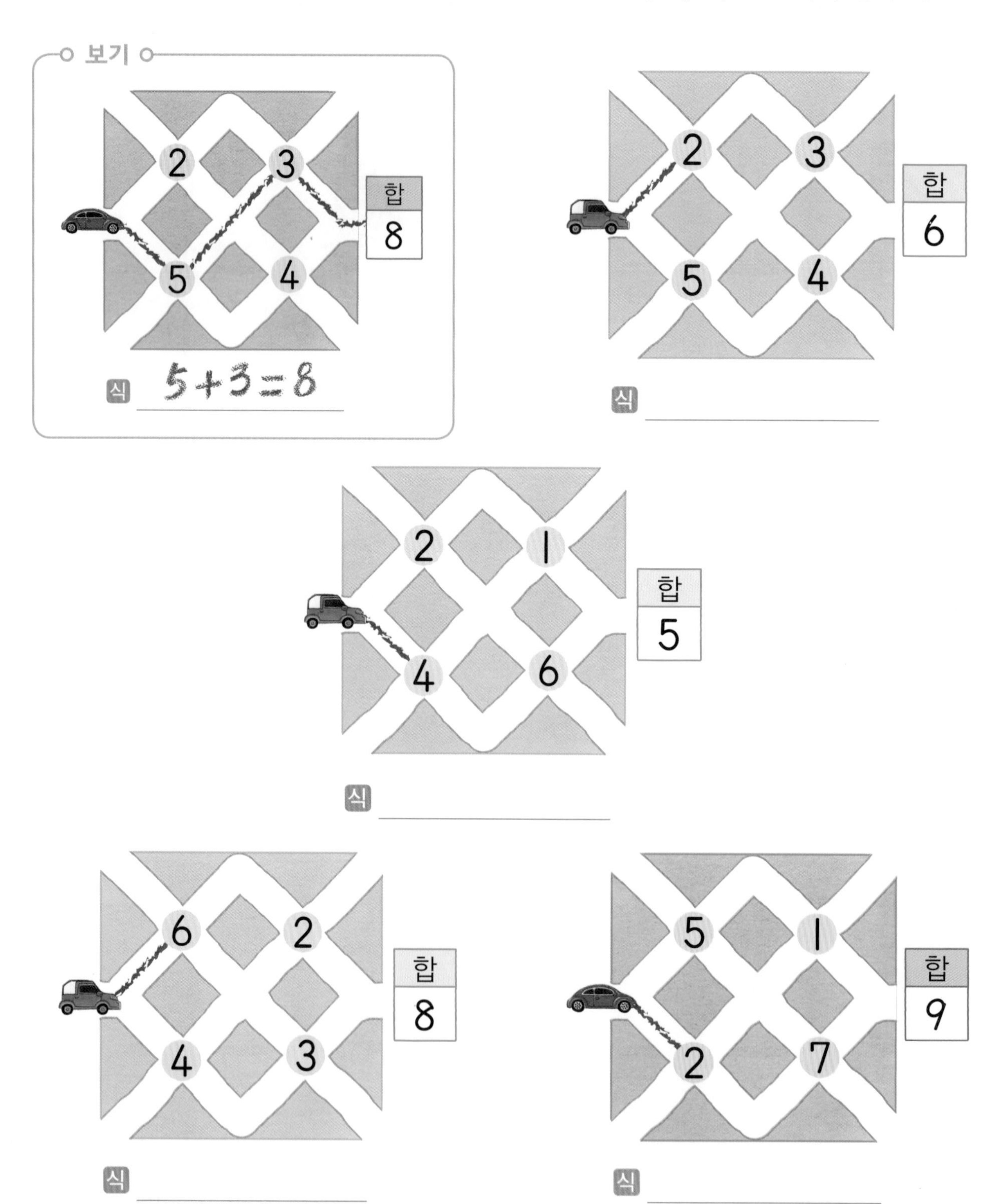

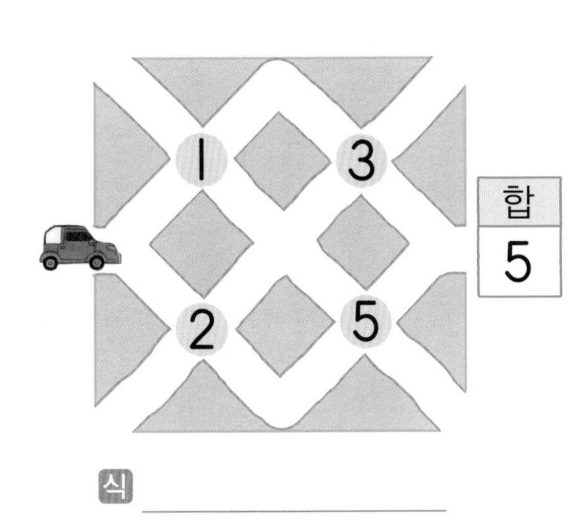
1
3
2
5
합
5

식 ______________________

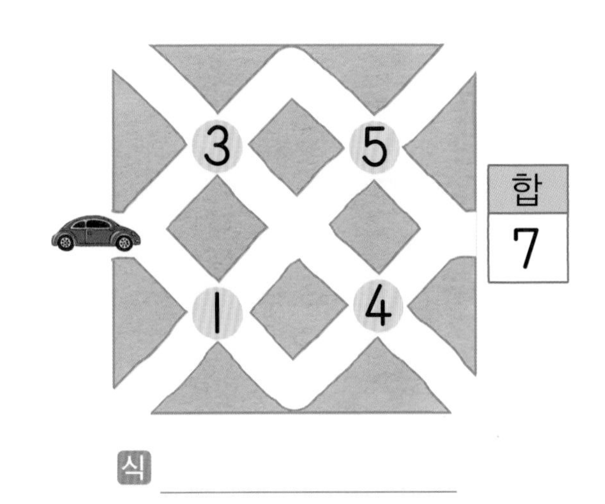
3
5
1
4
합
7

식 ______________________

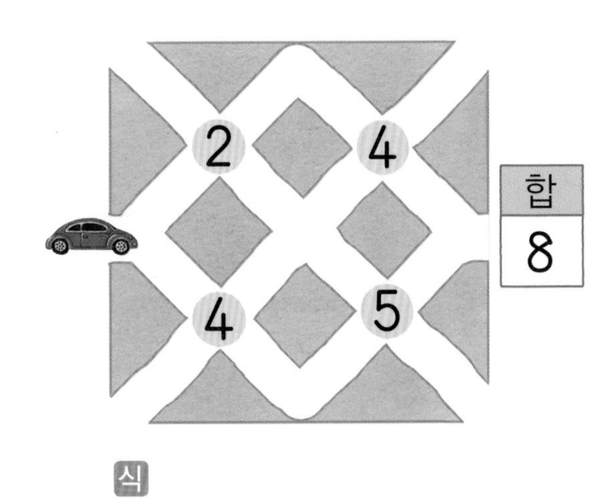
2
4
4
5
합
8

식 ______________________

3
P02

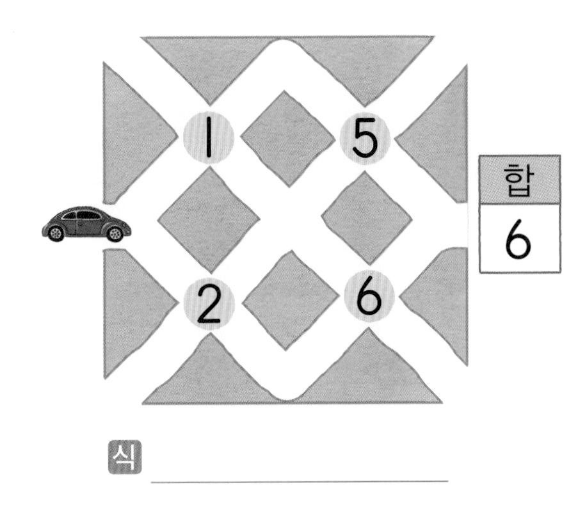
1
5
2
6
합
6

식 ______________________

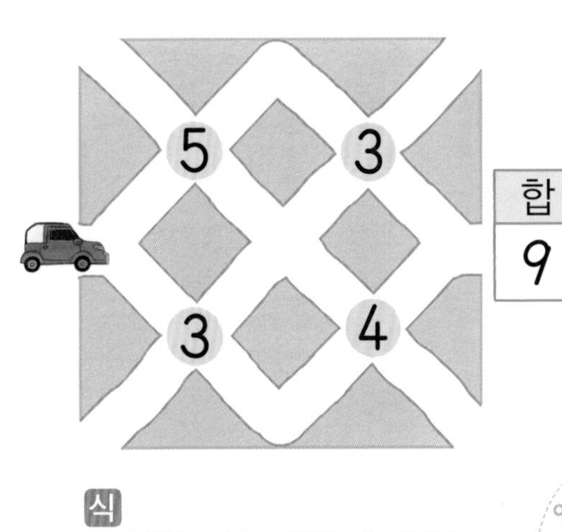
5
3
3
4
합
9

식 ______________________

오늘은 얼마나 잘했을까요?
칭찬 붙임 딱지를
붙여 주세요!

세 수 모으기

숫자 카드를 사용하여 수 모으기를 해 보시오.

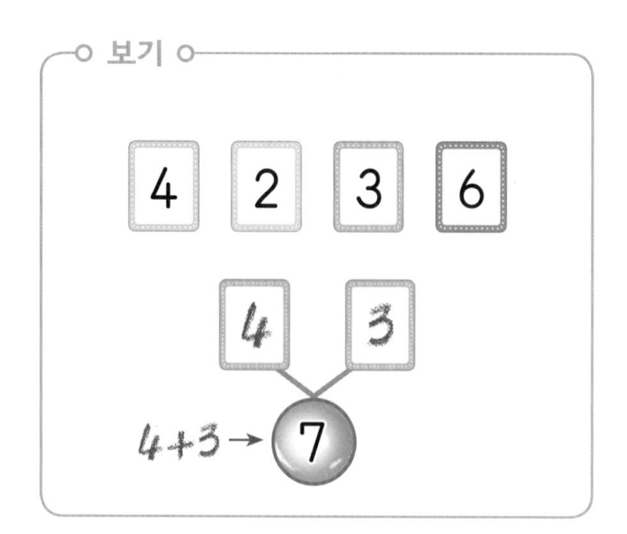

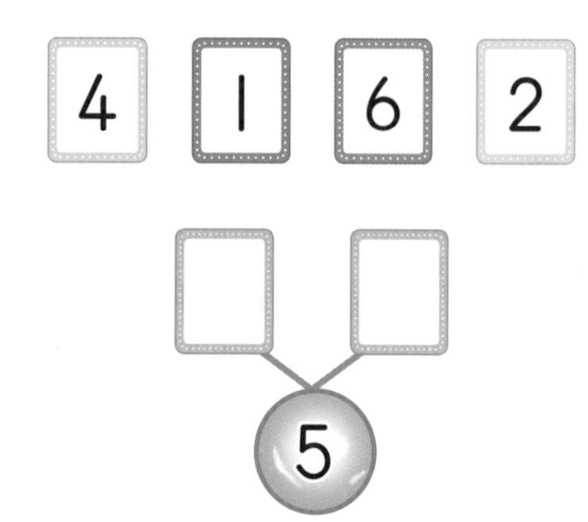

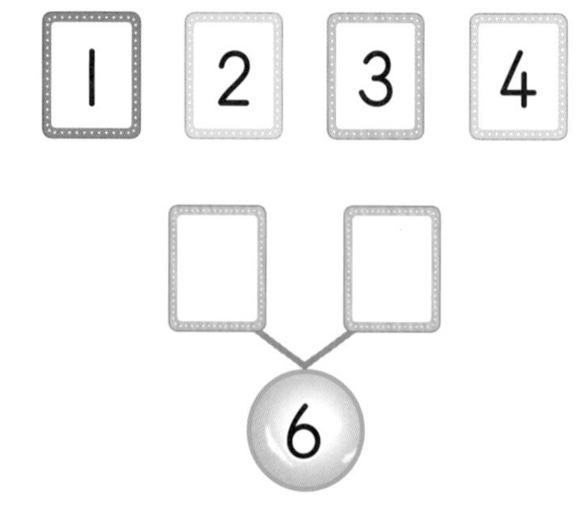

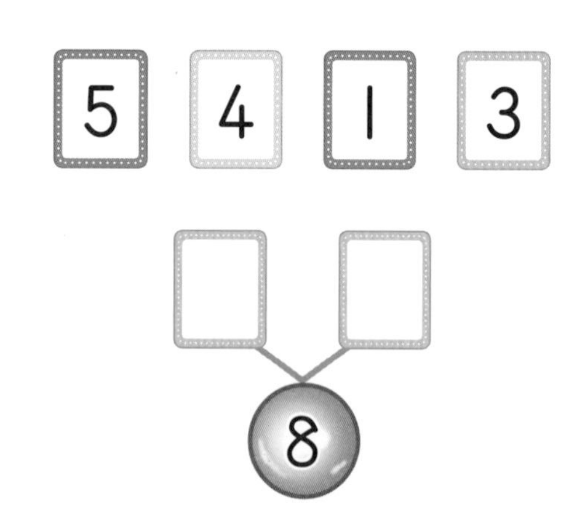

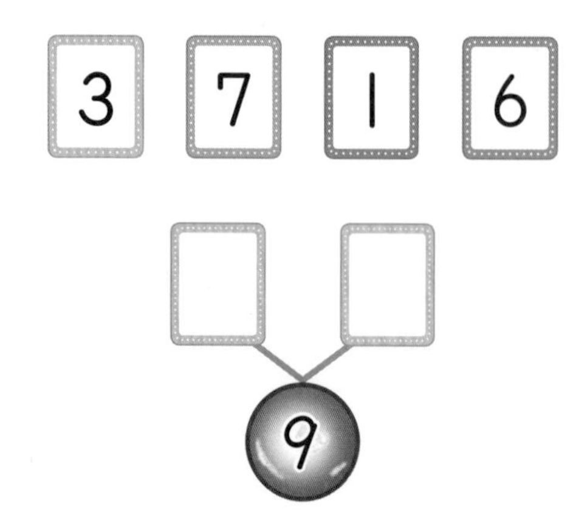

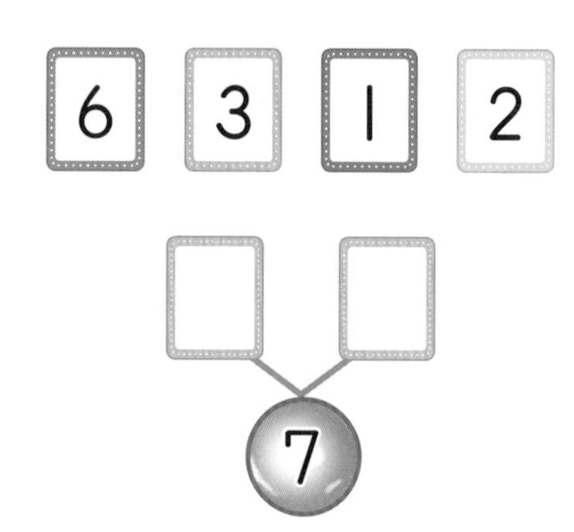

수 모으기를 하여 ◯ 안에 알맞은 수를 써넣으시오.

보기

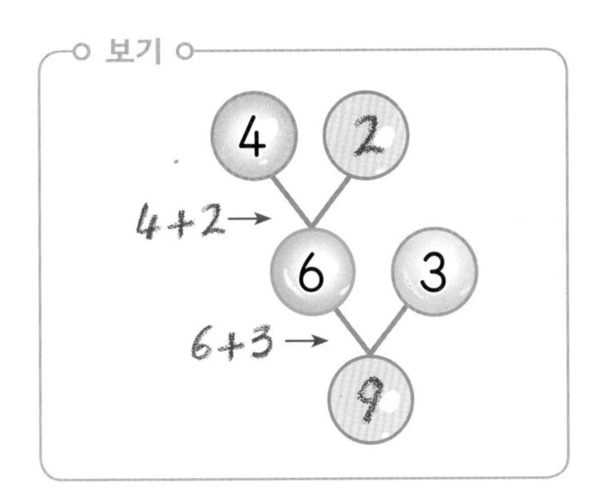

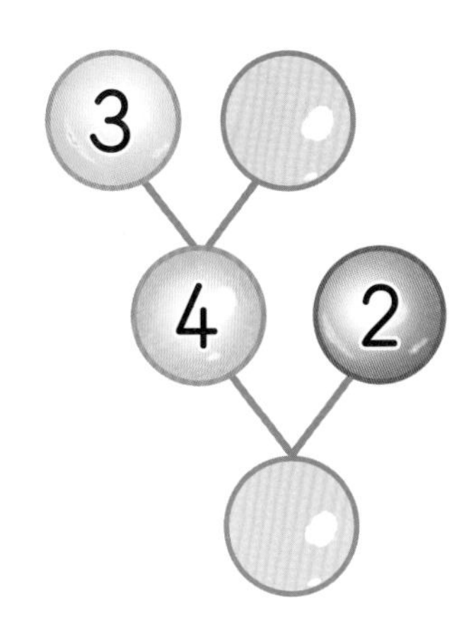

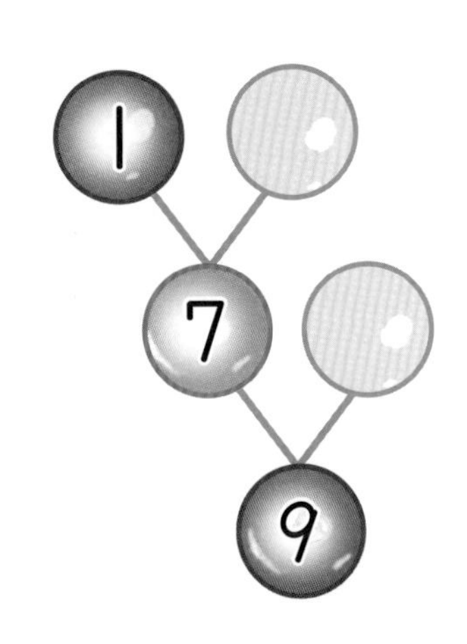

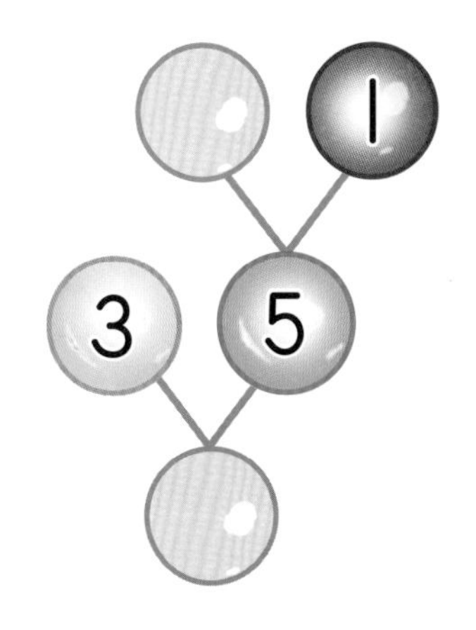

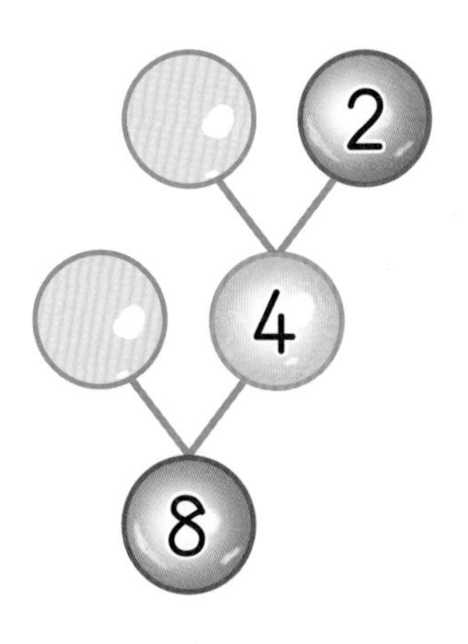

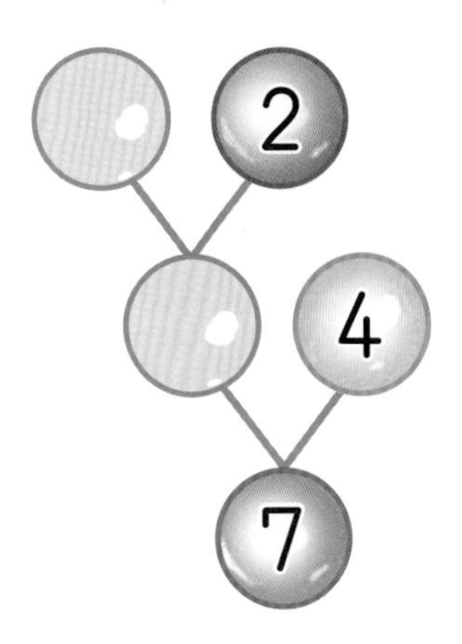

수 모으기를 하여 ◯ 안에 알맞은 수를 써넣으시오.

보기

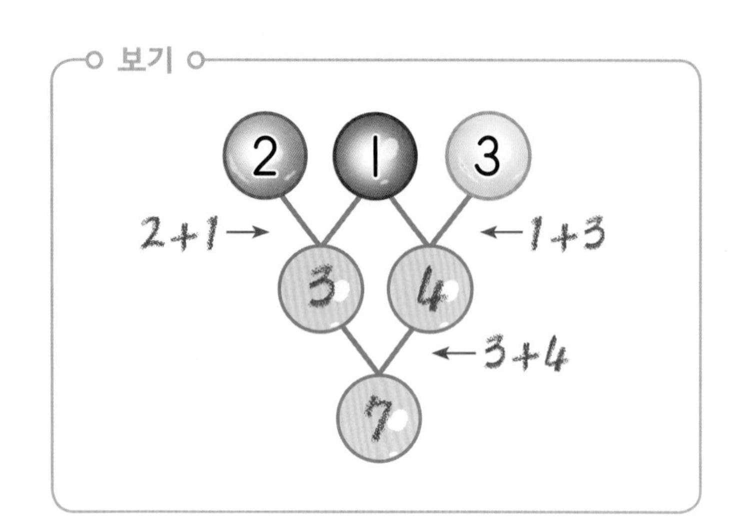

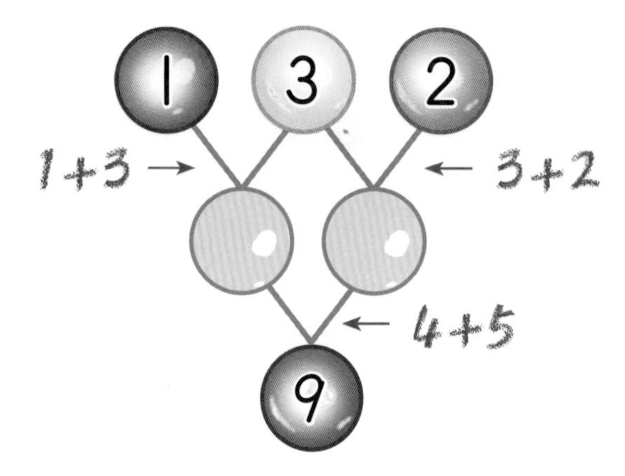

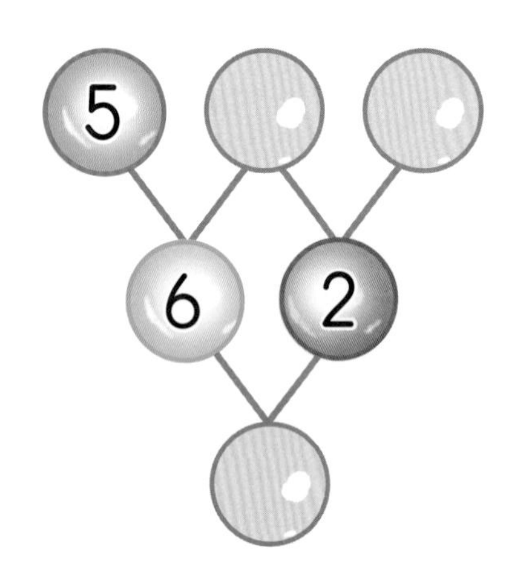

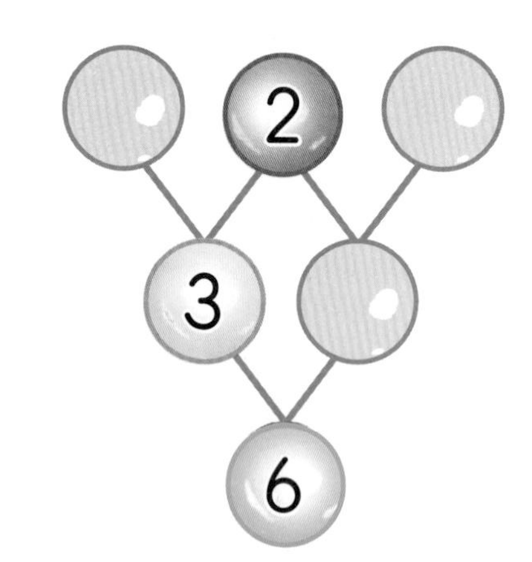

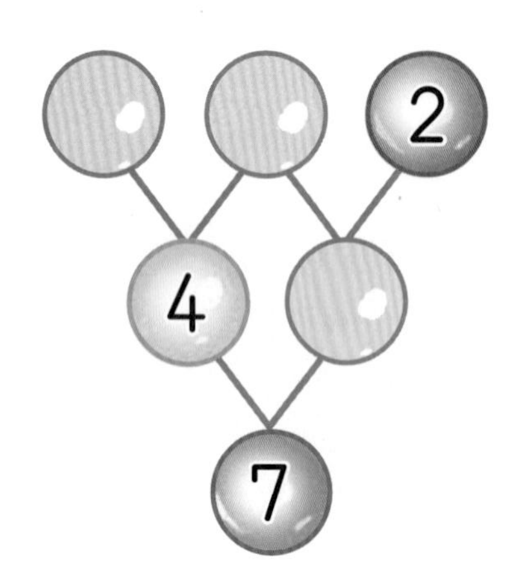

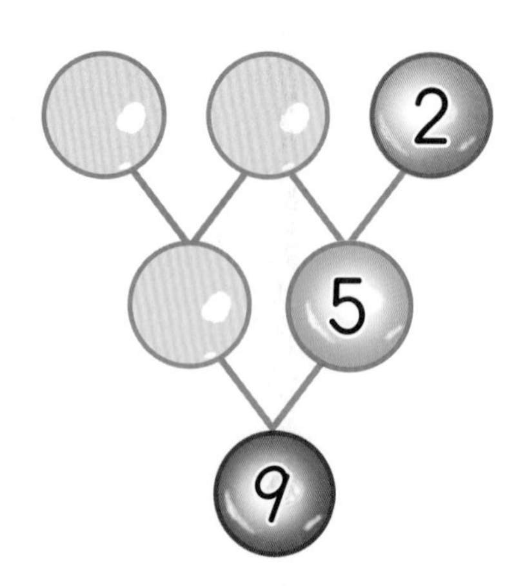

□ 안에는 알맞은 숫자 카드를, ○ 안에는 알맞은 수를 써넣어 9를 모아 보시오.

온라인 활동지

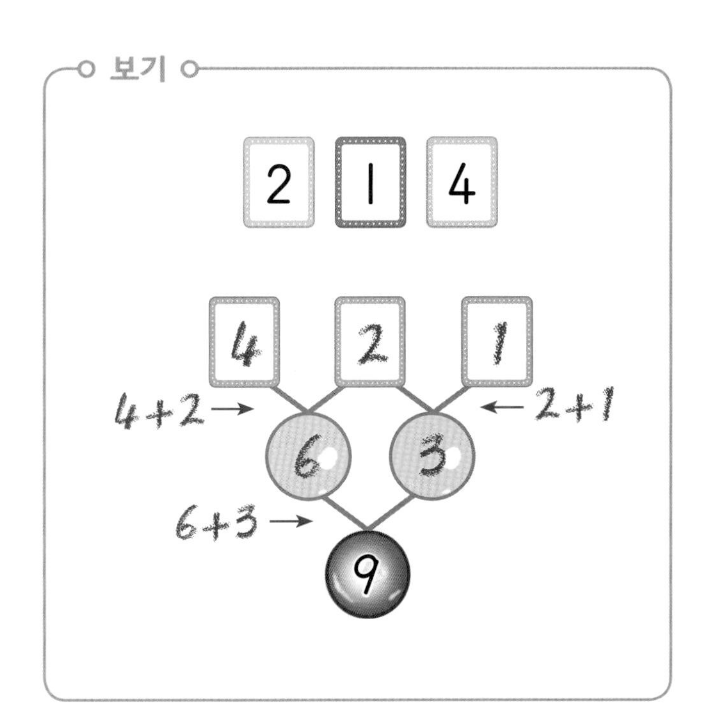

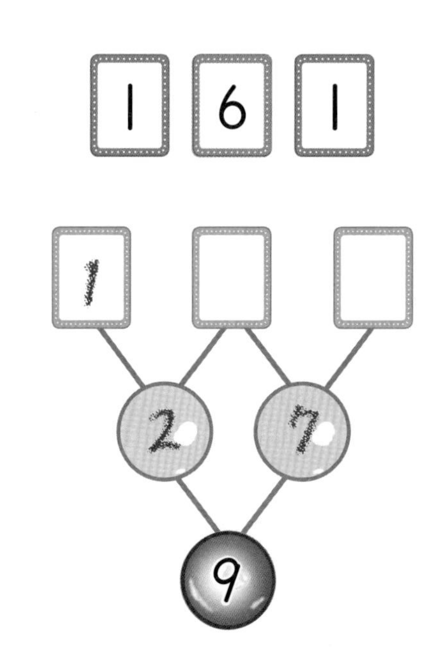

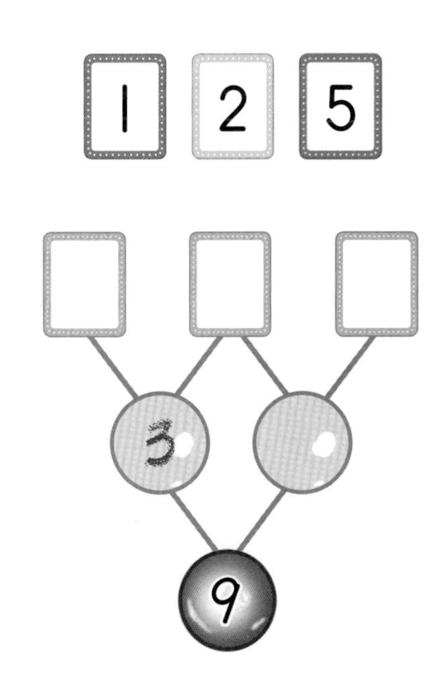

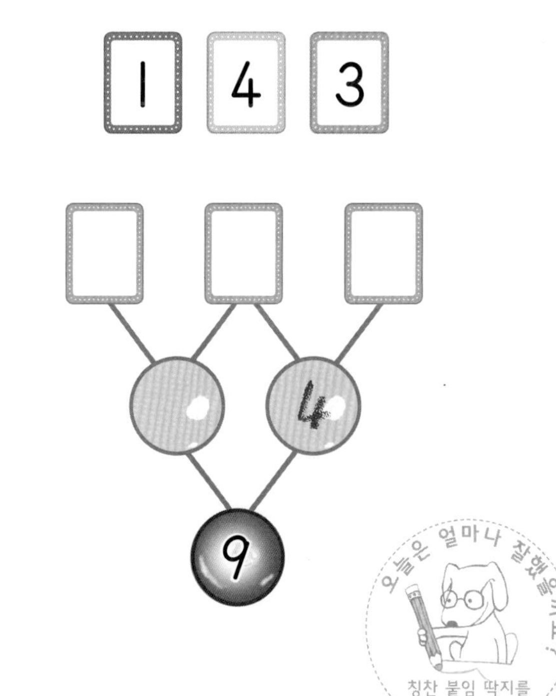

고대수

☐ 안에 고대 중국 수를 알맞게 붙여 보시오.

준비물 ▸ 붙임 딱지

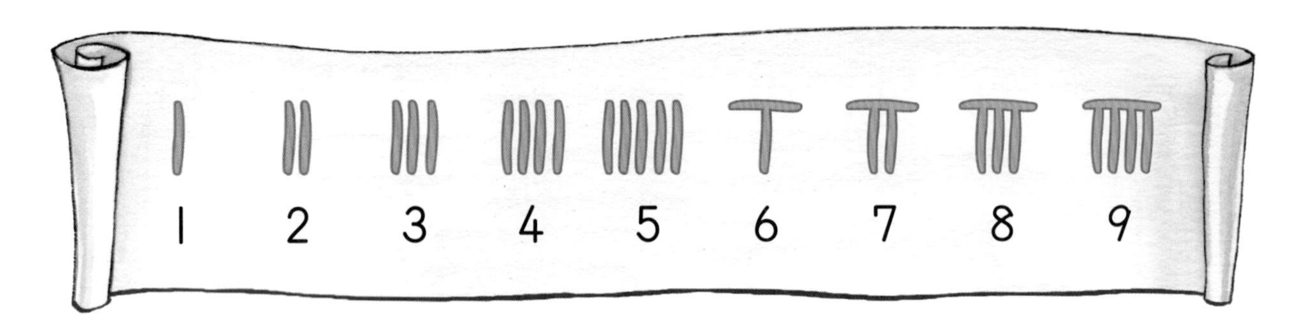

보기

|+||=|||

1 + 2 = 3

3 + 1

|||+|= ☐

3 + 2

|||+||= ☐

2 + 1

||+|= ☐

6 + 1

T+|= ☐

3 + 6

|||+T= ☐

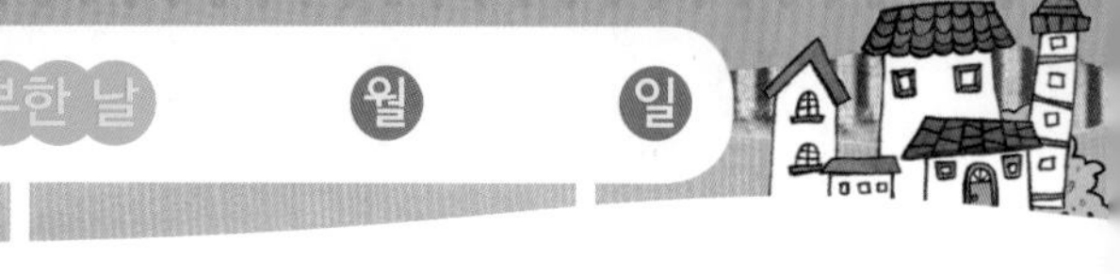

𝍡 + 𝍢 = □

𝍠 + 𝍢 = □

𝍡 + 𝍣 = □

𝍢 + 𝍢 = □

𝍦 + 𝍠 = □

𝍡 + 𝍤 = □

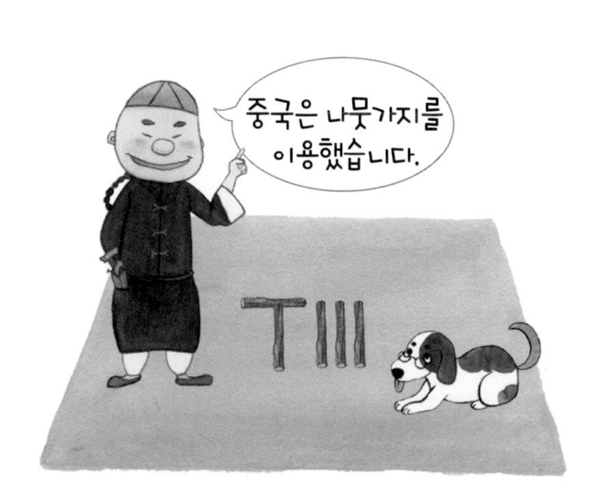

중국은 나뭇가지를 이용했습니다.
TIII

✿ ▒ 안에 로마 수를 알맞게 붙여 보시오.

준비물 ▸ 붙임 딱지

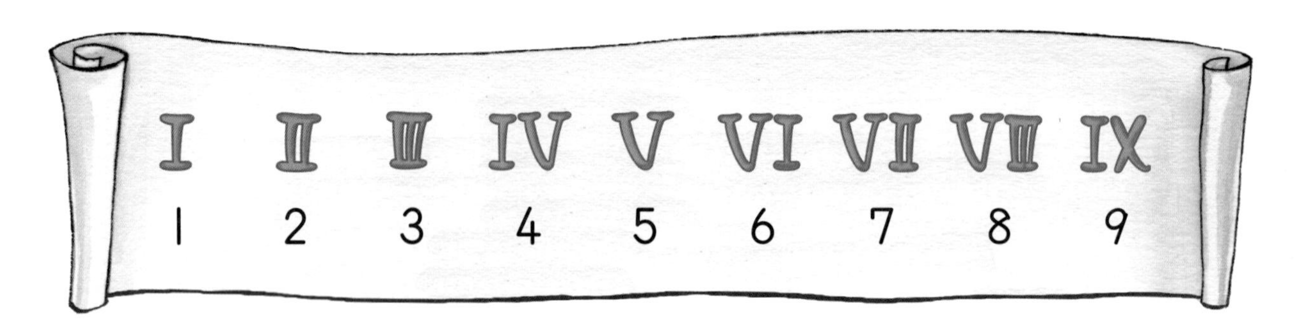

보기

III + II = V
3 + 2 = 5

V + II = VII
5 + □ = 7

2 + 3
II + III = ▒

1 + 3
I + III = ▒

2 + 1
II + I = ▒

1 + 5
I + V = ▒

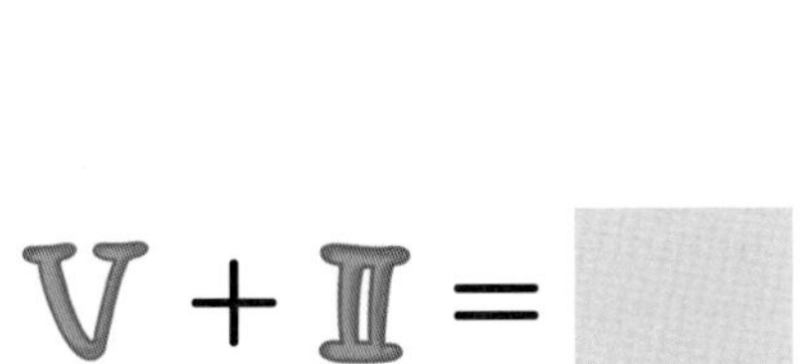

Ⅴ + Ⅱ = □

Ⅵ + Ⅱ = □

Ⅲ + Ⅵ = □

Ⅲ + Ⅳ = □

Ⅰ + □ = Ⅲ

Ⅳ + □ = Ⅵ

P02

작은 수의 덧셈

학습관리표

일 자			소요 시간	틀린 문항 수	확인
❶ 일차	월	일	:		
❷ 일차	월	일	:		
❸ 일차	월	일	:		
❹ 일차	월	일	:		
❺ 일차	월	일	:		

4 주

도미노 모으기

맞닿는 부분의 합이 주어진 수가 되도록 도미노의 눈을 그려 넣으시오.

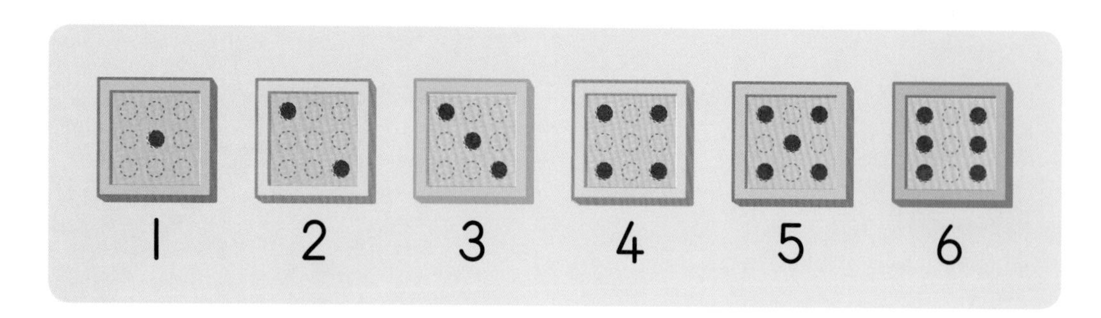

보기

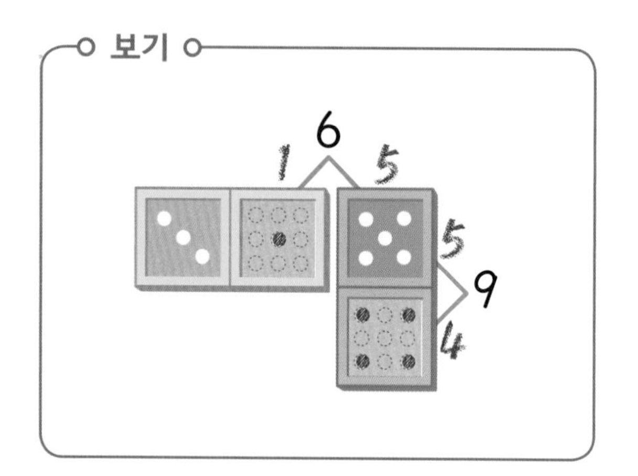

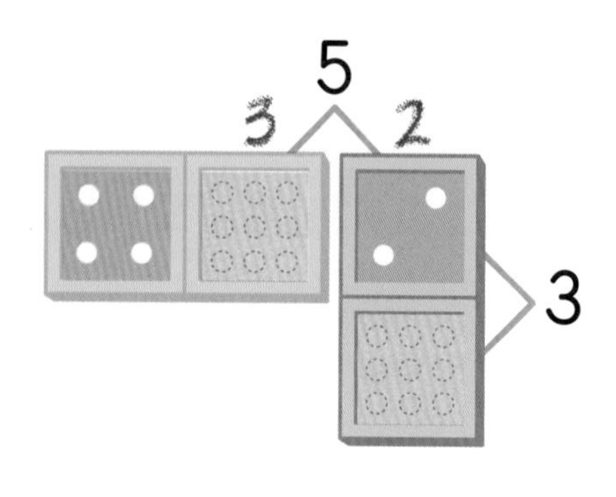

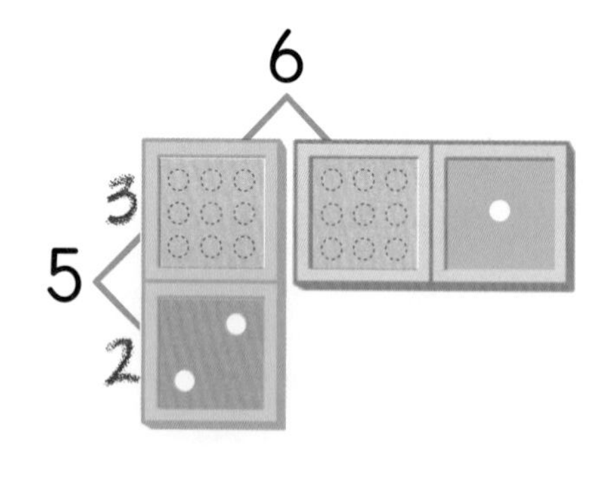

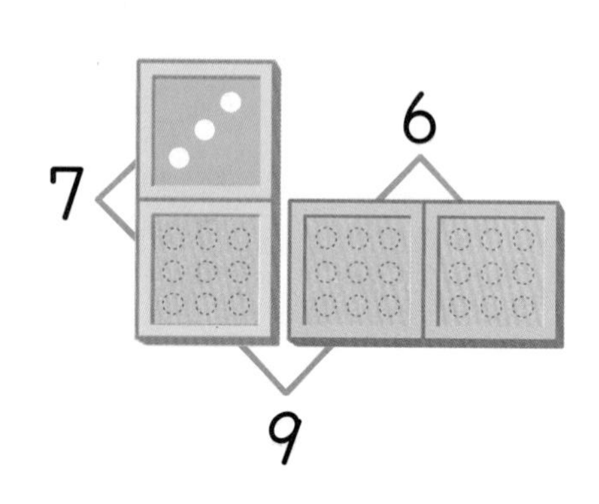

공부한 날
월
일

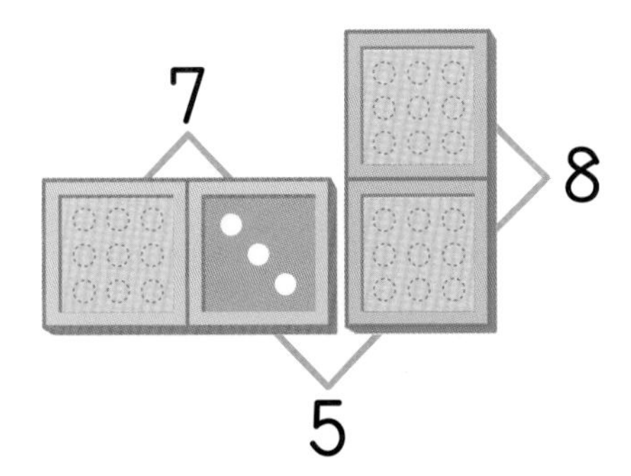
7
8
5

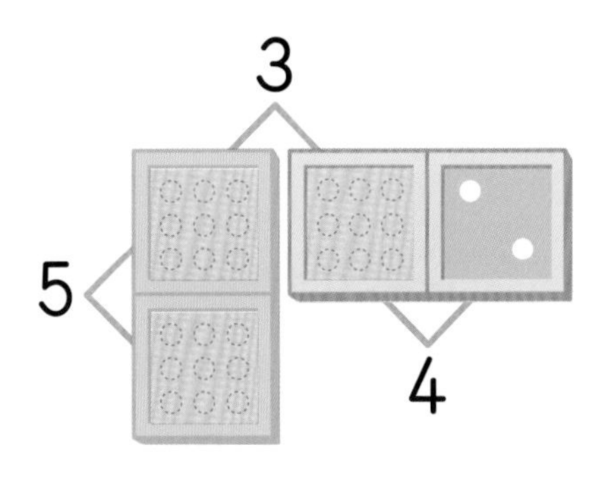
3
5
4

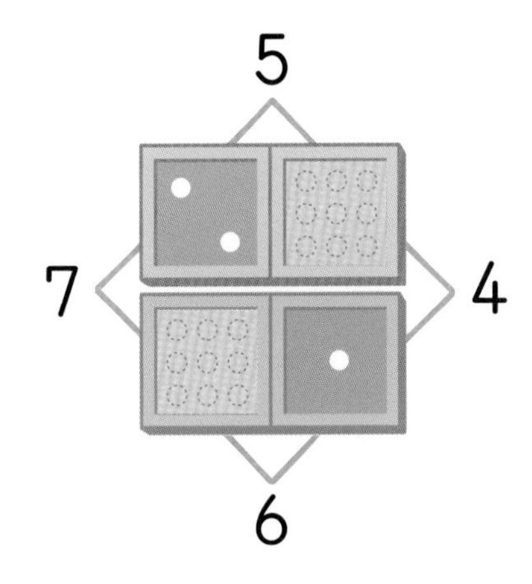
5
7
4
6

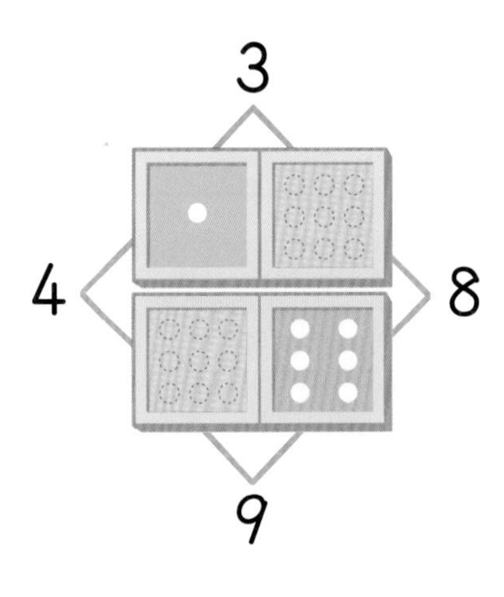
3
4
8
9

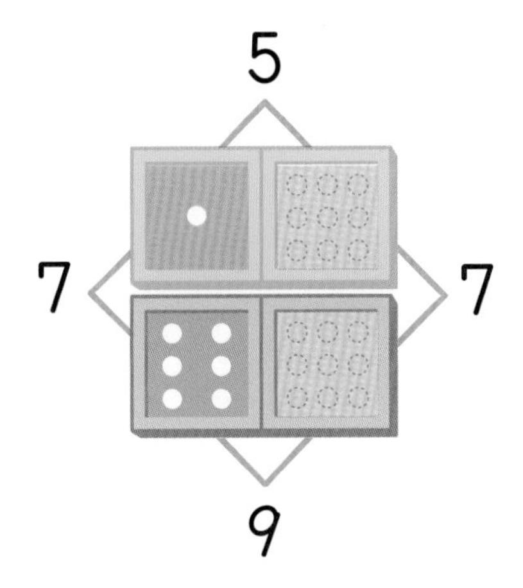
5
7
7
9

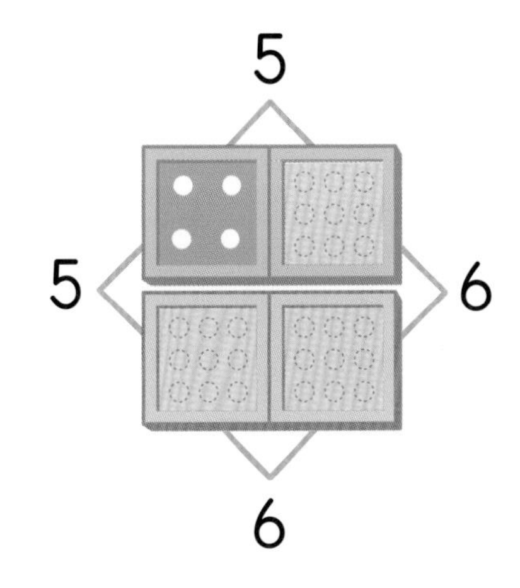
5
5
6
6

맞닿는 부분의 합이 주어진 수가 되도록 도미노의 눈을 그려 넣으시오.

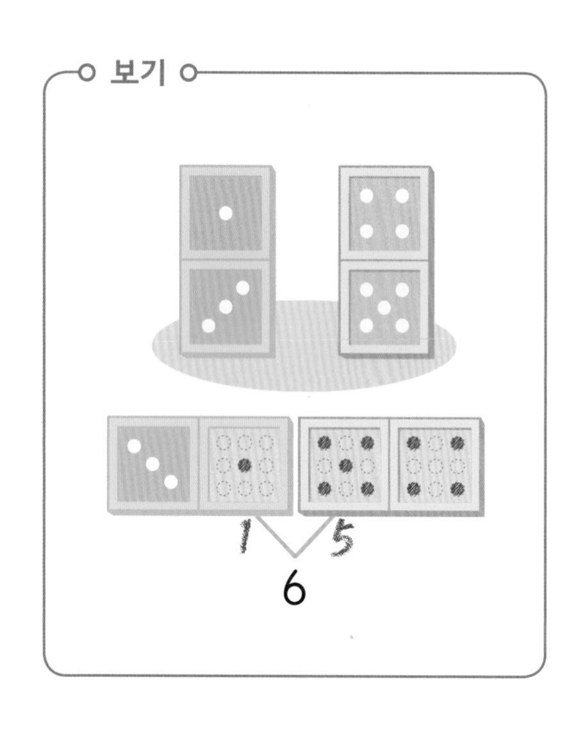

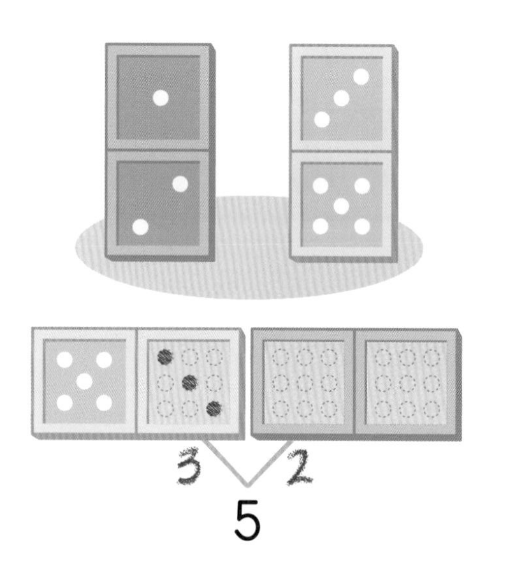

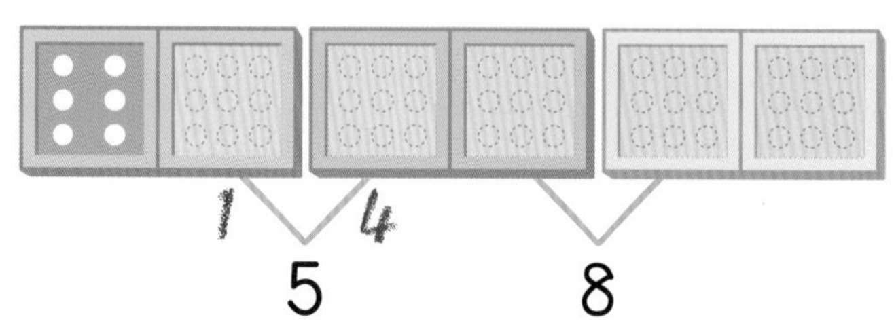

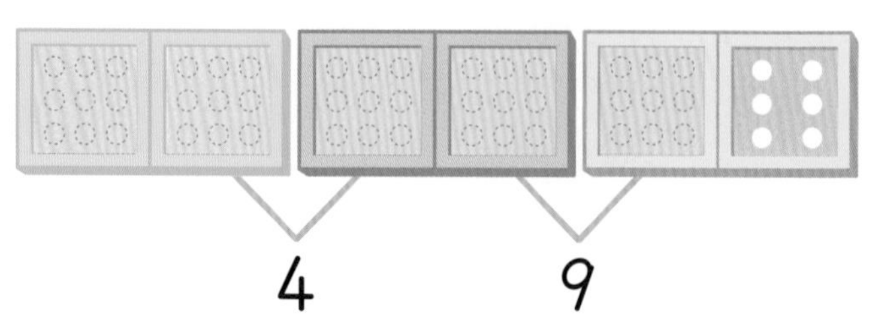

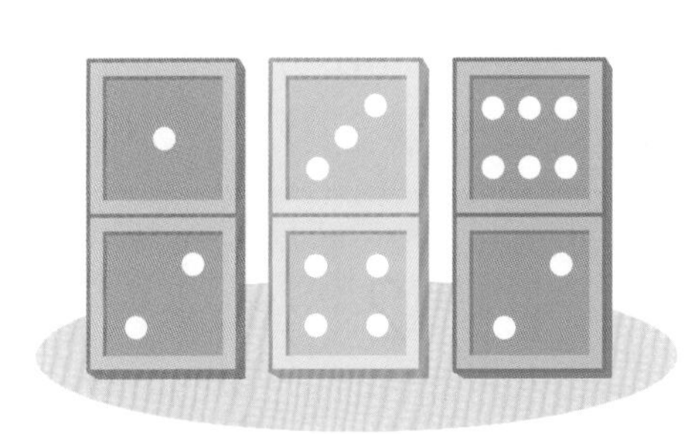

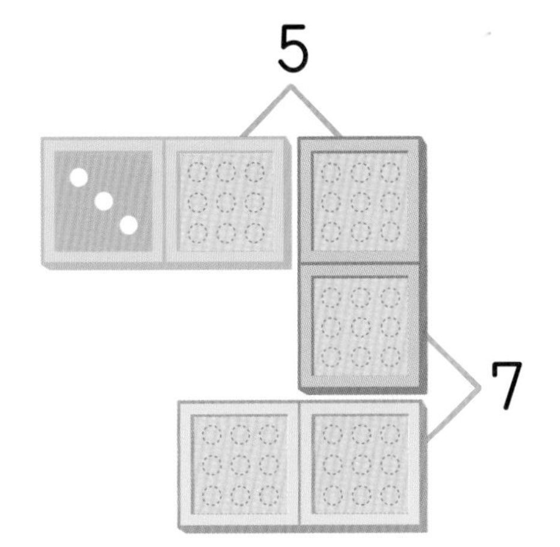

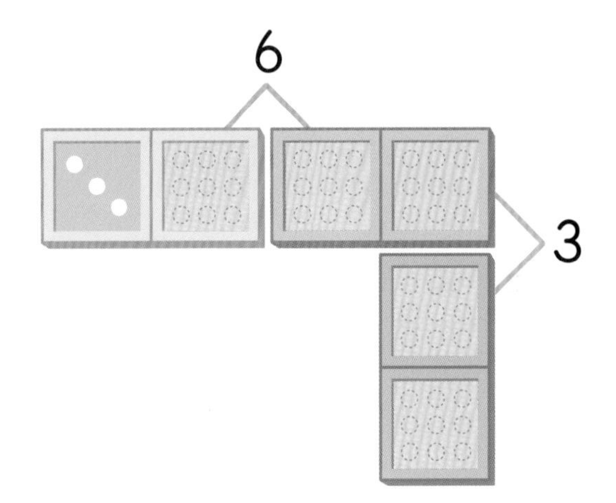

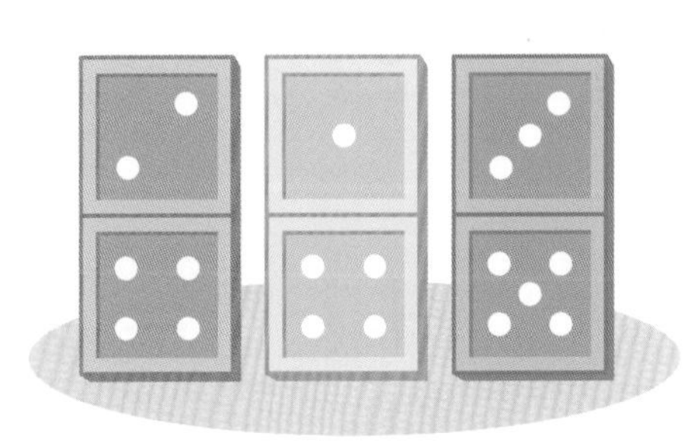

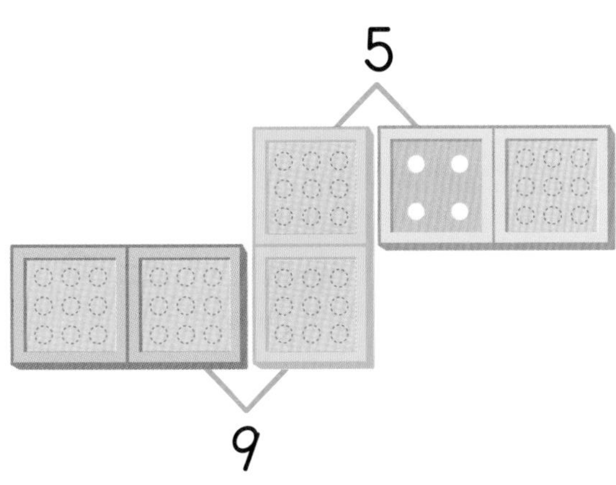

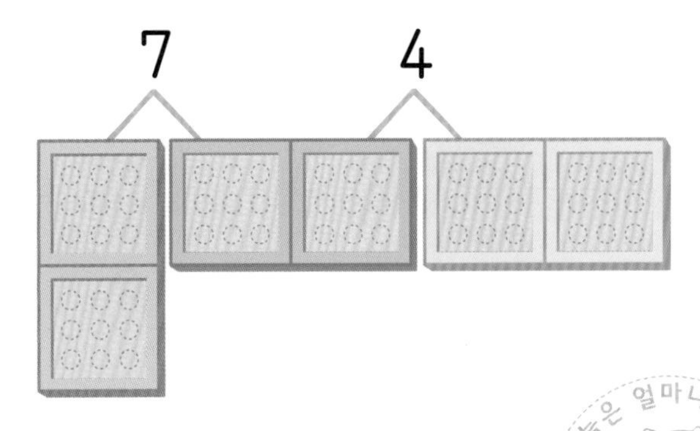

오늘은 얼마나 잘했을까요?
칭찬 붙임 딱지를
붙여 주세요!

목표수 만들기

숫자 카드를 사용하여 주어진 수를 만들어 보시오.

1 2 4 7

1 + 2 = 3

2 + □ = 9

2 3 5 8

□ + □ = 5

□ + □ = 8

2 3 4 5

□ + □ = 5

□ + □ = 7

□ + □ = 9

1 2 5 8

□ + □ = 3

□ + □ = 7

□ + □ = 9

0 1 2 3 4 5

□ + □ = 1

□ + □ = 2

1 + 2 = 3

□ + □ = 4

□ + □ = 5

□ + □ = 6

□ + □ = 7

□ + □ = 8

□ + □ = 9

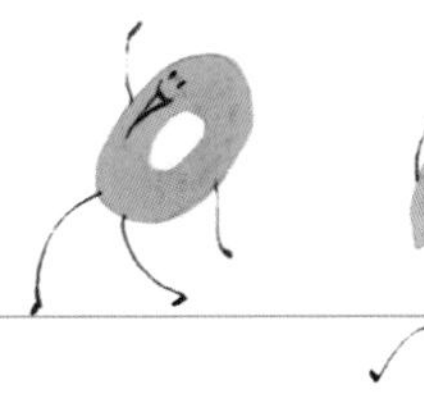

숫자 카드를 이용하여 덧셈으로 만들 수 있는 수를 모두 찾아보시오.

온라인 활동지

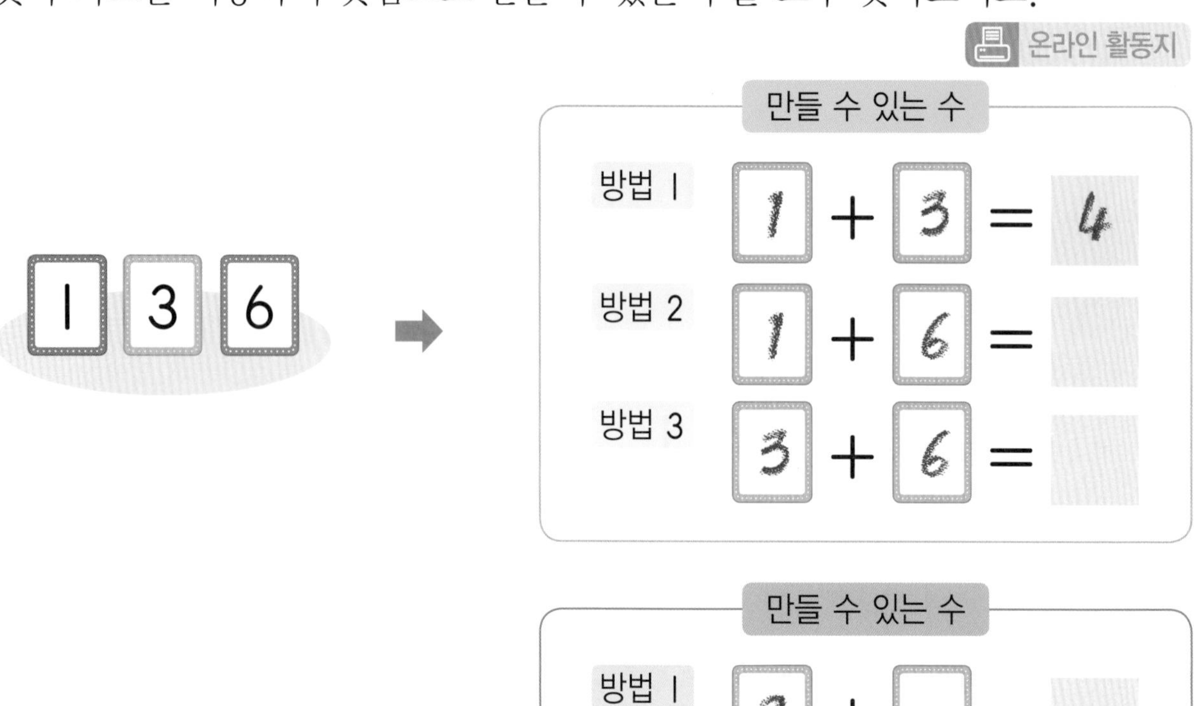

1 3 4 →

만들 수 있는 수

방법 1 □ + □ = □

방법 2 □ + □ = □

방법 3 □ + □ = □

숫자 카드를 이용하여 덧셈한 결과가 **가장 크게**, **가장 작게** 되도록 만드시오.

온라인 활동지

1	2
3	4

가장 큰 값 3 + 4 = 7

가장 작은 값 □ + □ = □

0	2
3	5

가장 큰 값 □ + □ = □

가장 작은 값 □ + □ = □

3	3
4	5

가장 큰 값 □ + □ = □

가장 작은 값 □ + □ = □

오늘은 얼마나 잘했을까요?
칭찬 붙임 딱지를 붙여 주세요!

동물이 나타내는 수

동물이 나타내는 수를 찾아 안에 써넣으시오.

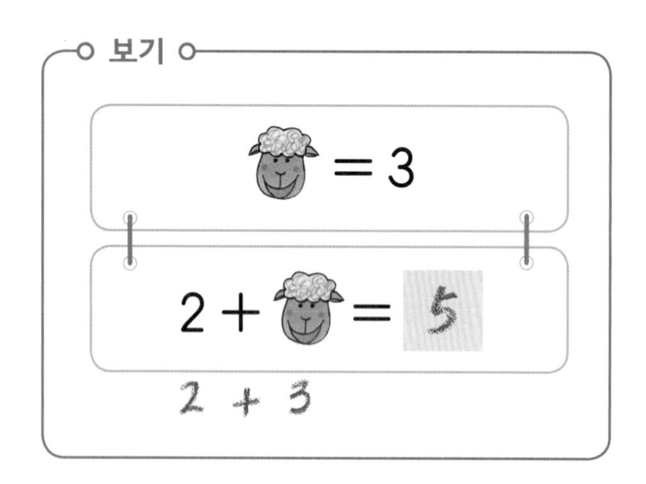

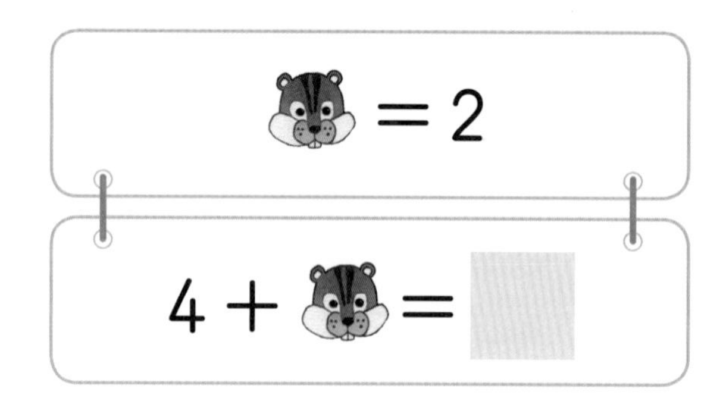

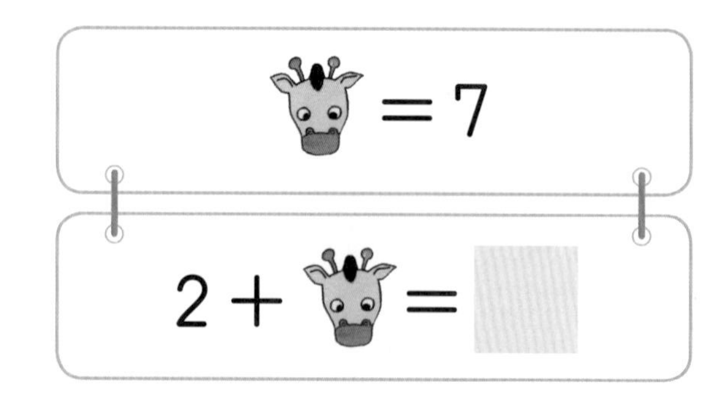

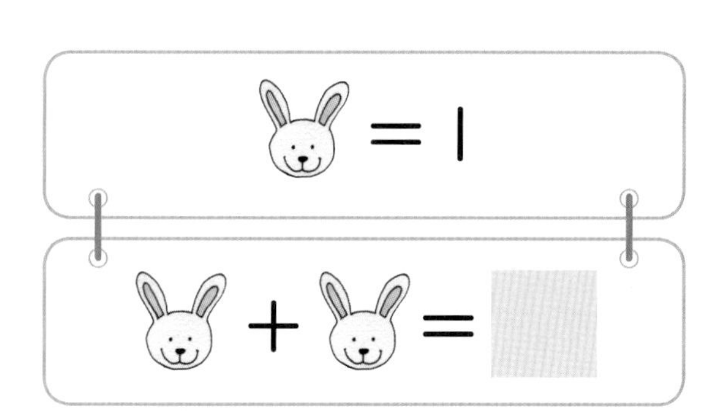

= 1

\+ =

1 + 1

= 3

\+ =

= 3 = 4

\+ =

3 + 4

= 2 = 6

\+ =

= 5 = 4

\+ =

동물이 나타내는 수를 찾아 ▒ 안에 써넣으시오.

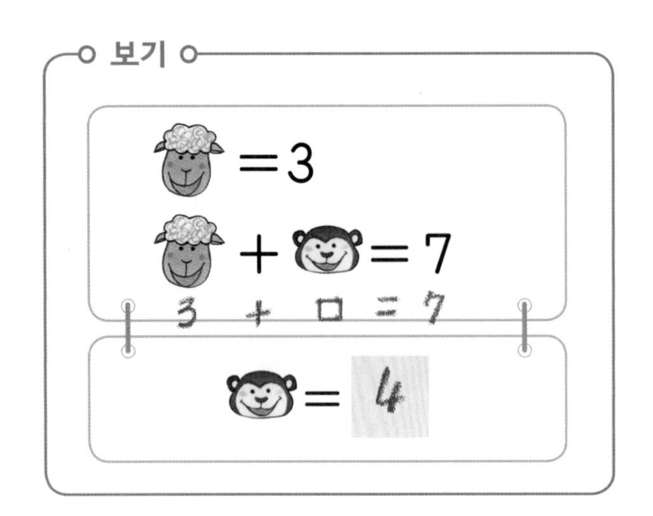

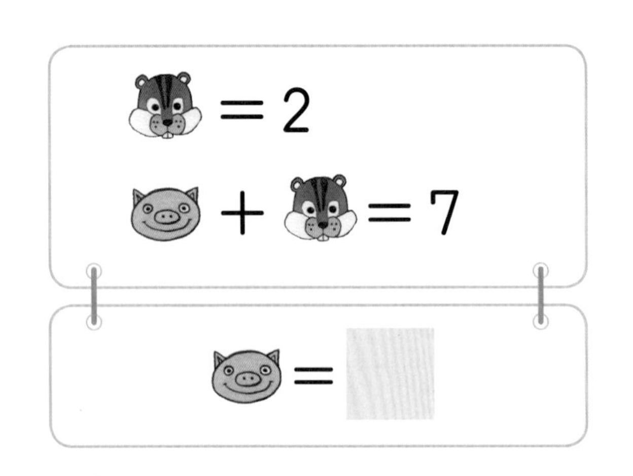

=3

2 + =

=

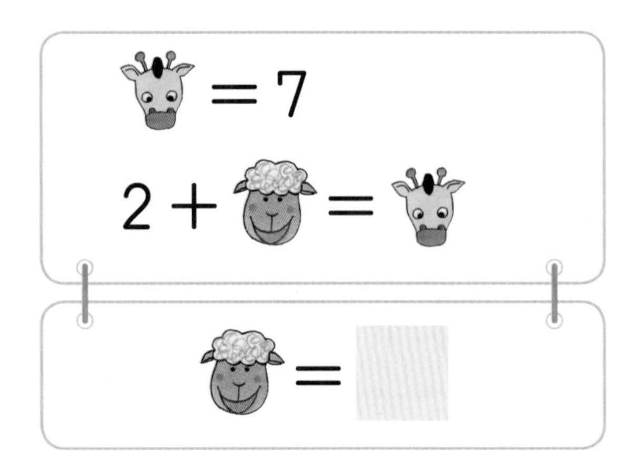

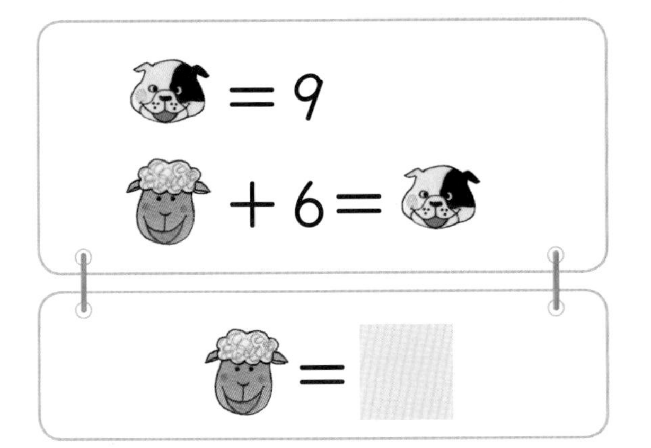

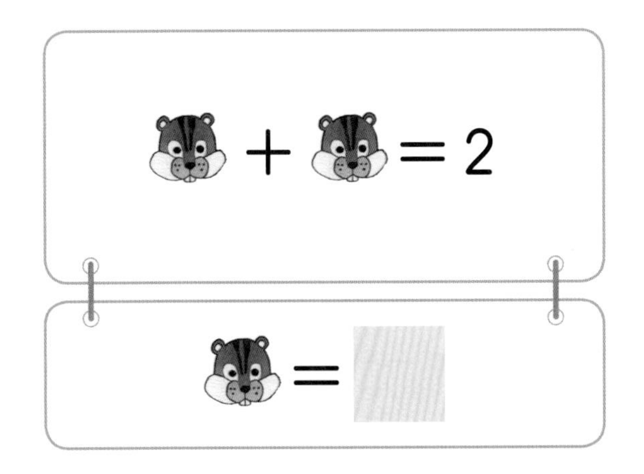

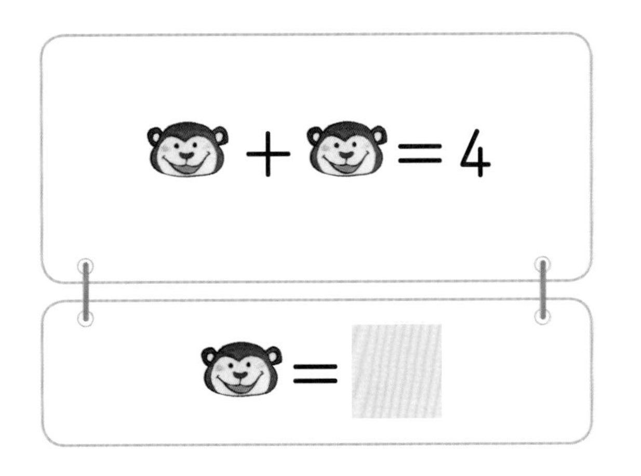

$3 + 5 =$

$+ \quad =$

$= \qquad =$

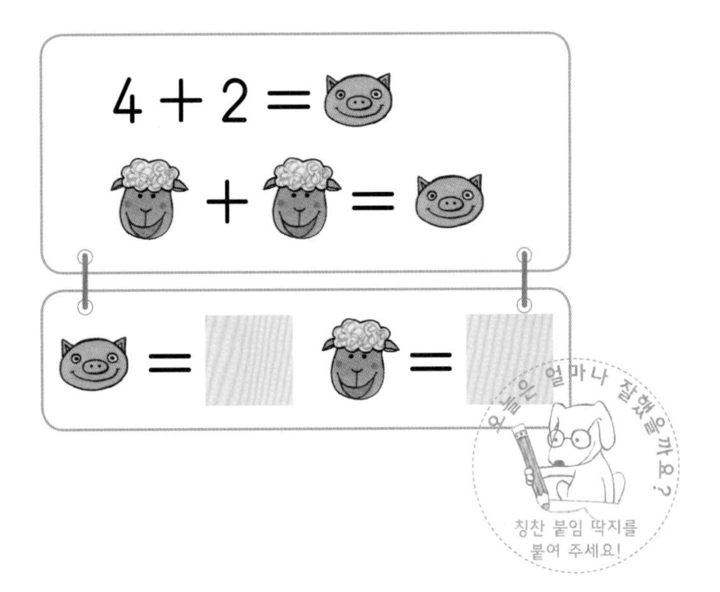

성냥개비 셈

안에서 성냥개비 1개를 **더해야** 할 곳을 찾아 표시하고, 올바른 식을 쓰시오.

온라인 활동지

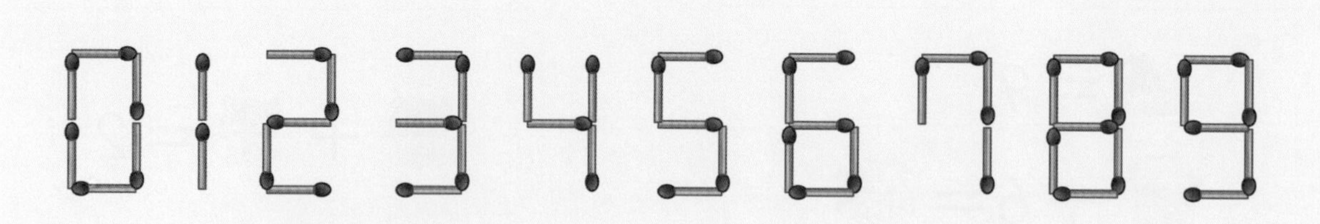

보기

7 + 2 = 3 → 7 + 2 = 9

식 ➡ 7 + 2 = 9

5 + 4 = 5

식 ➡

2 + 6 = 9

식 ➡

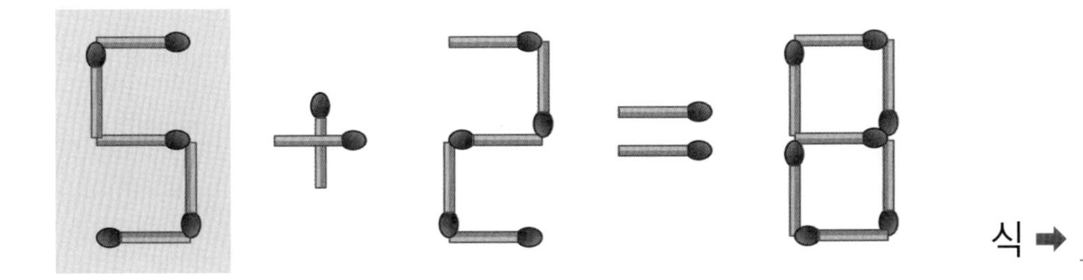

식 ➡ ______________________

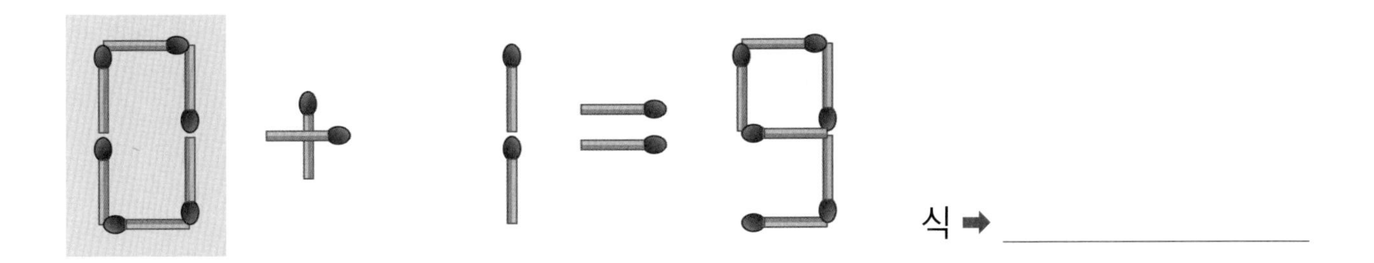

식 ➡ ______________________

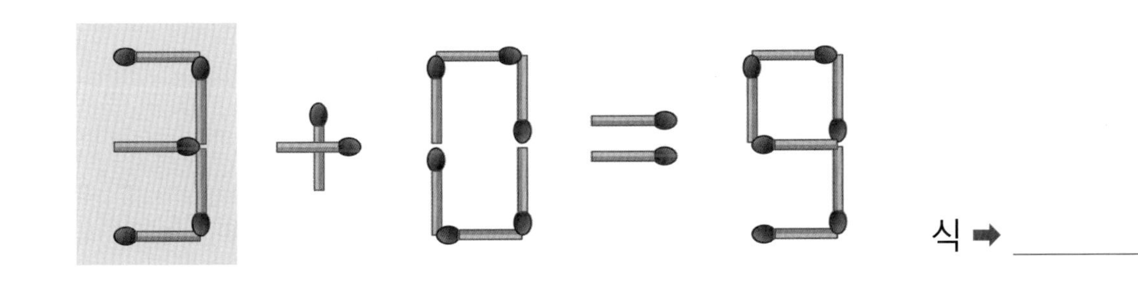

식 ➡ ______________________

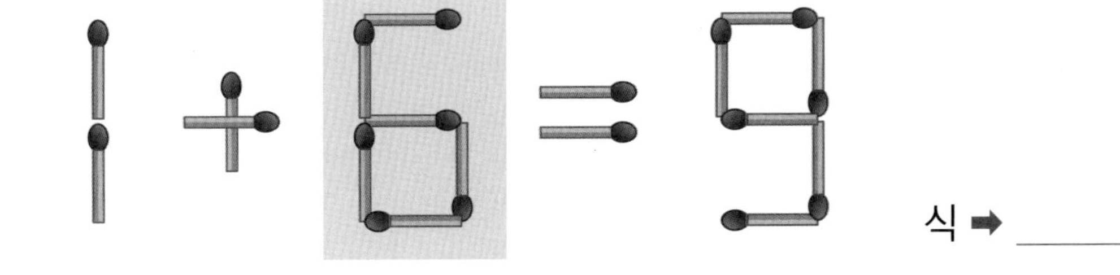

식 ➡ ______________________

■ 안에서 성냥개비 **1개를 빼야** 할 곳을 찾아 ✕표 하고, 올바른 식을 쓰시오.

온라인 활동지

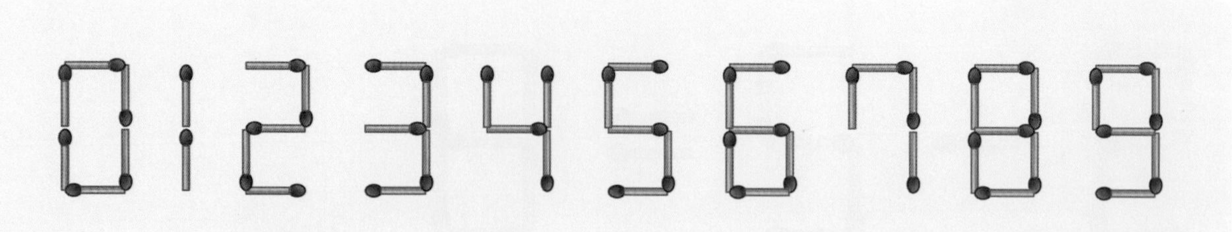

보기

식 ➡ 2 + 4 = 6

식 ➡ ____________

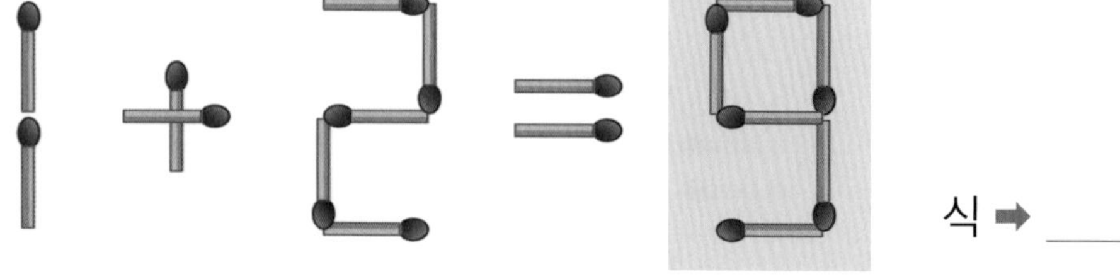

식 ➡ ____________

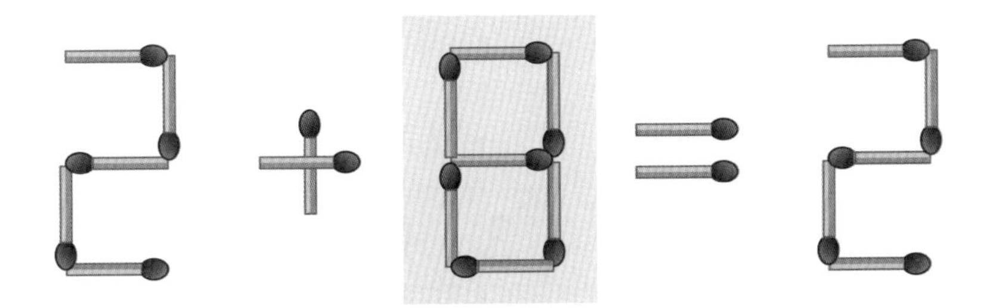

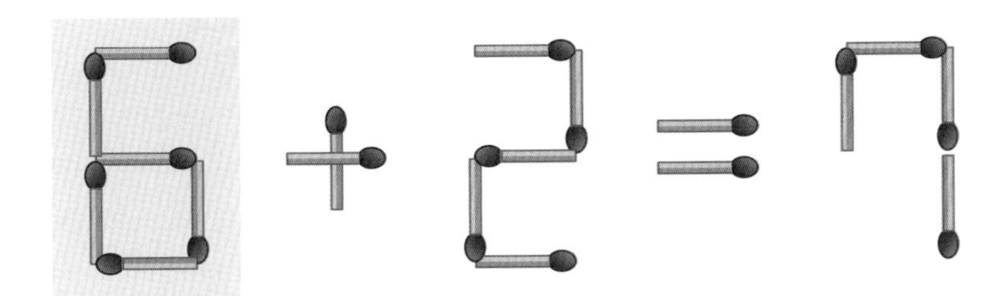

식 ➡

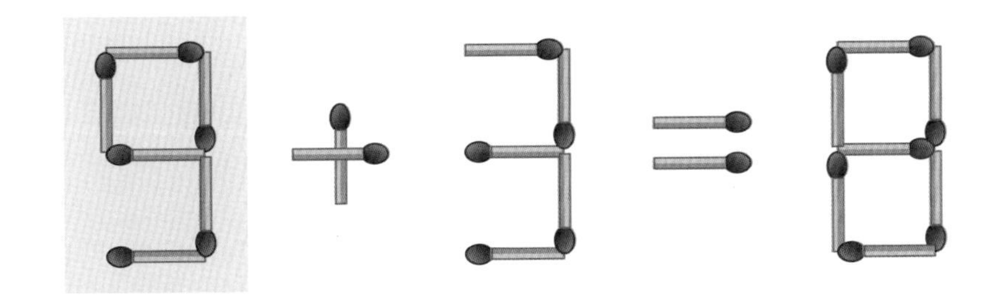

식 ➡

식 ➡

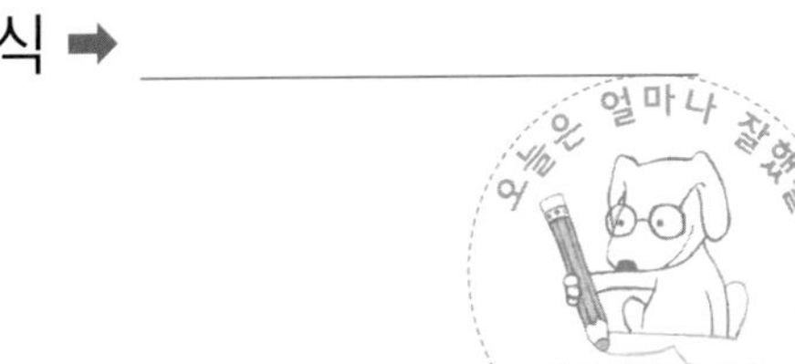

5 일차 덧셈식 찾기

주어진 조각을 올렸을 때 올바른 식이 되는 곳을 찾아 색칠하시오.

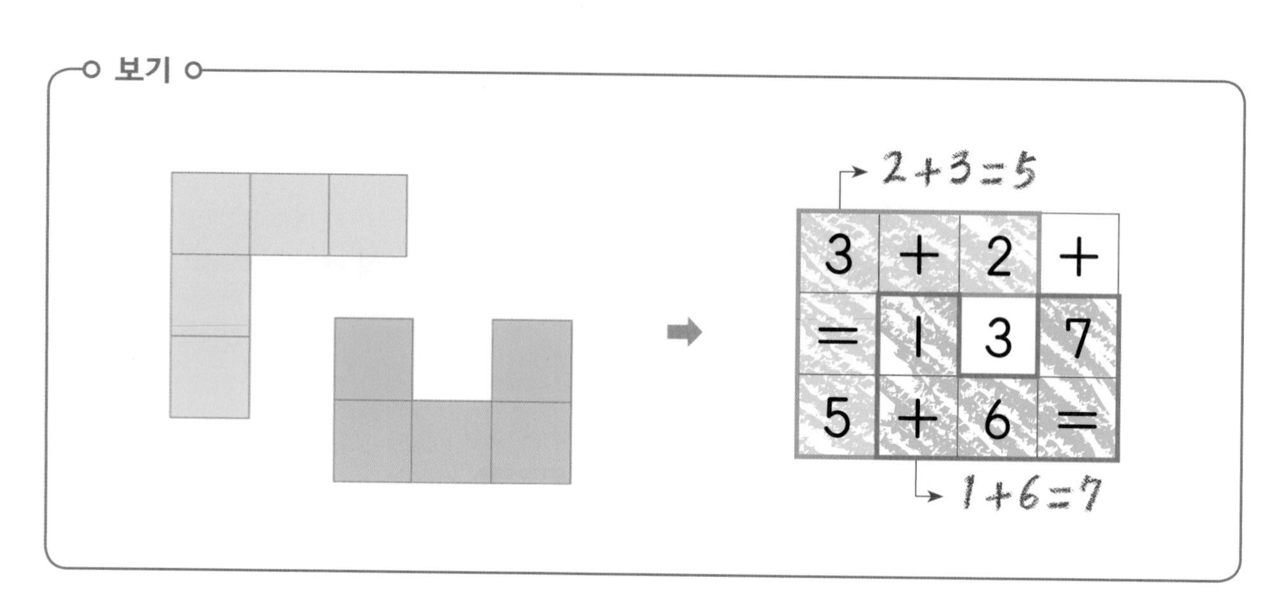

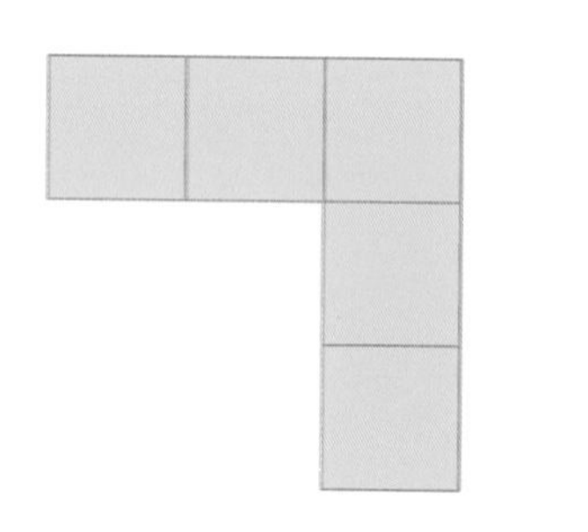

➡

+	4	+	2
5	=	1	=
+	8	=	6

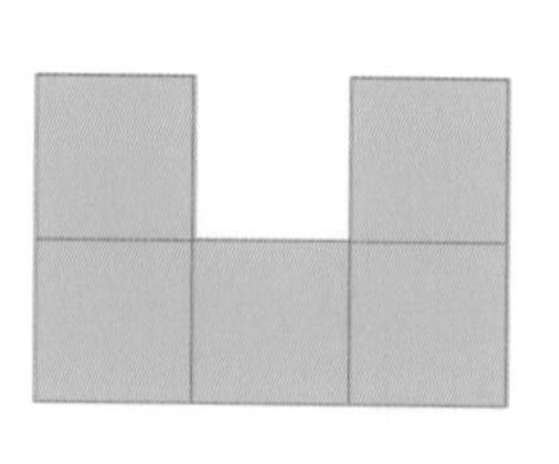

➡

6	+	7	=
+	1	=	4
5	=	3	+

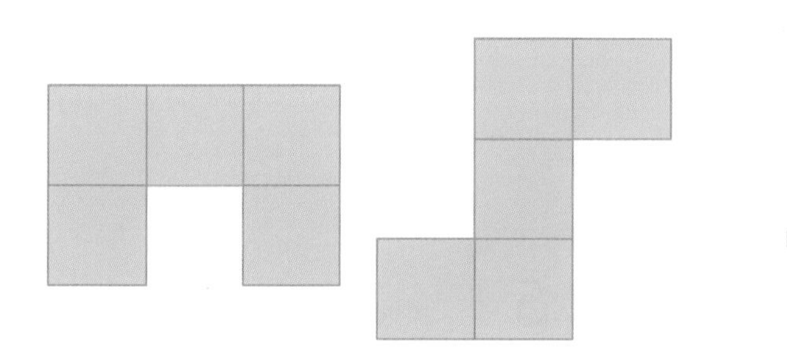

➡

+	1	=	+	2
4	6	5	7	+
=	7	9	=	6

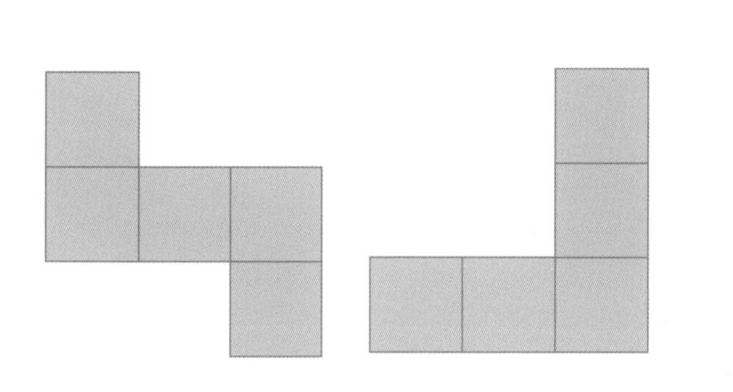

➡

3	+	4	=
+	3	=	5
+	2	6	+
6	8	=	3

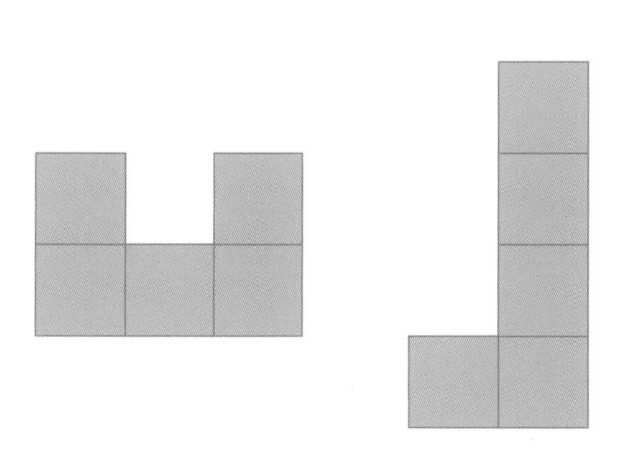

➡

=	1	+	5	4
8	=	2	6	+
3	7	4	+	5
+	1	=	9	=

수를 ▭ 또는 ㄱ로 묶어 덧셈식을 주어진 개수보다 많이 만들어 보시오.

4개

4	5	6	1	2	5	3	9
3	0	2	1	4	1	7	2
+		+					
5	1	7 =	9	7	1	5	8
=							
8	2	3	8	6	3	4	6

4개

3	3	8	7	2	3	2	1
2	7	9	3	2	6	2	9
4	5	1	3	3	7	8	9
	=						
3 +	2	0	5	4	0	3	6

8개

7	5	1	3	7	1	6	4
6	9	3	8	6	3 + 5		9
					=		
3	7	8	4	0	8	9	1
8	4	6	3	5	9	7	6
1	2	1	4	6	2	3	5
6	5	2	9	1	2	9	5
7	3	8	5	8	5	7	3
2	3	5	1	2	5	6	3

memo

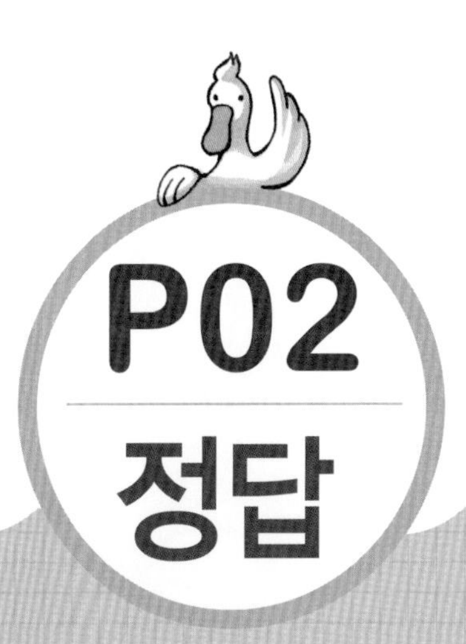
P02
정답

가을이 가고, 겨울이 다가오나 봅니다. 다람쥐들이 겨울 동안 먹을 도토리를 땅 속에 모으고 있네요. 다람쥐들이 도토리를 몇 개나 모았을까요?

두 수를 모아 하나의 수로 만드는 것은 덧셈의 기초 과정입니다.
구체물(물건, 음식 등)과 반구체물(●)의 개수를 세어 가며 모으기 학습을 하고, 익숙해지면 수의 모으기를 지도해 주세요.

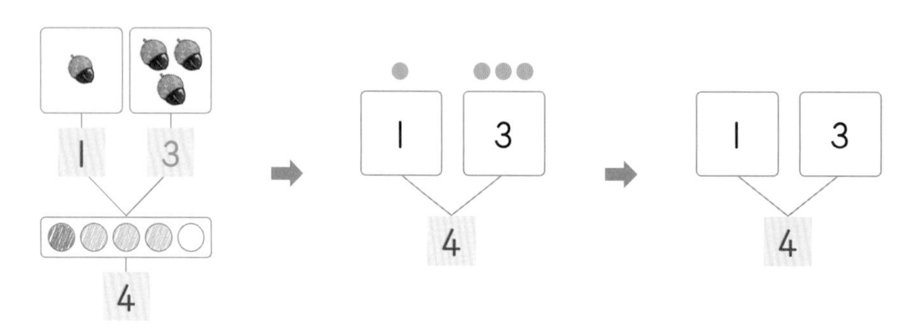

P 8 ~ 9

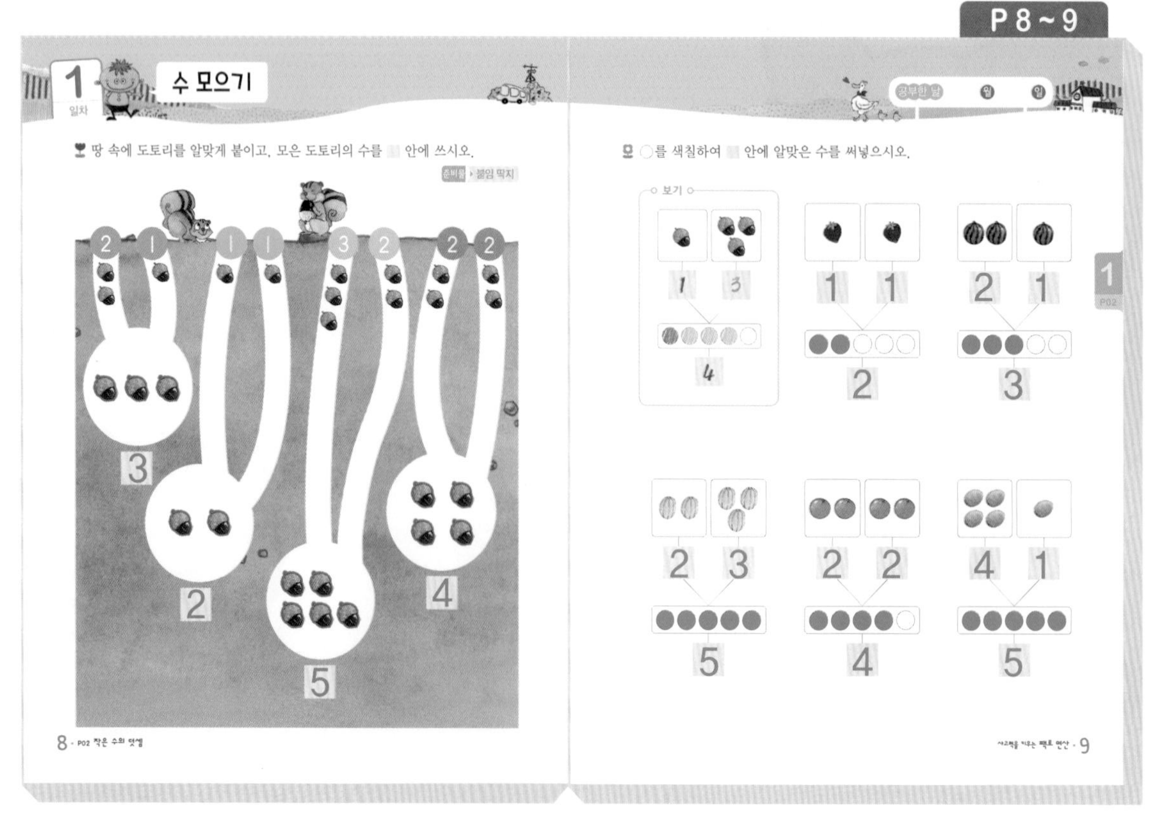

P 10 ~ 11

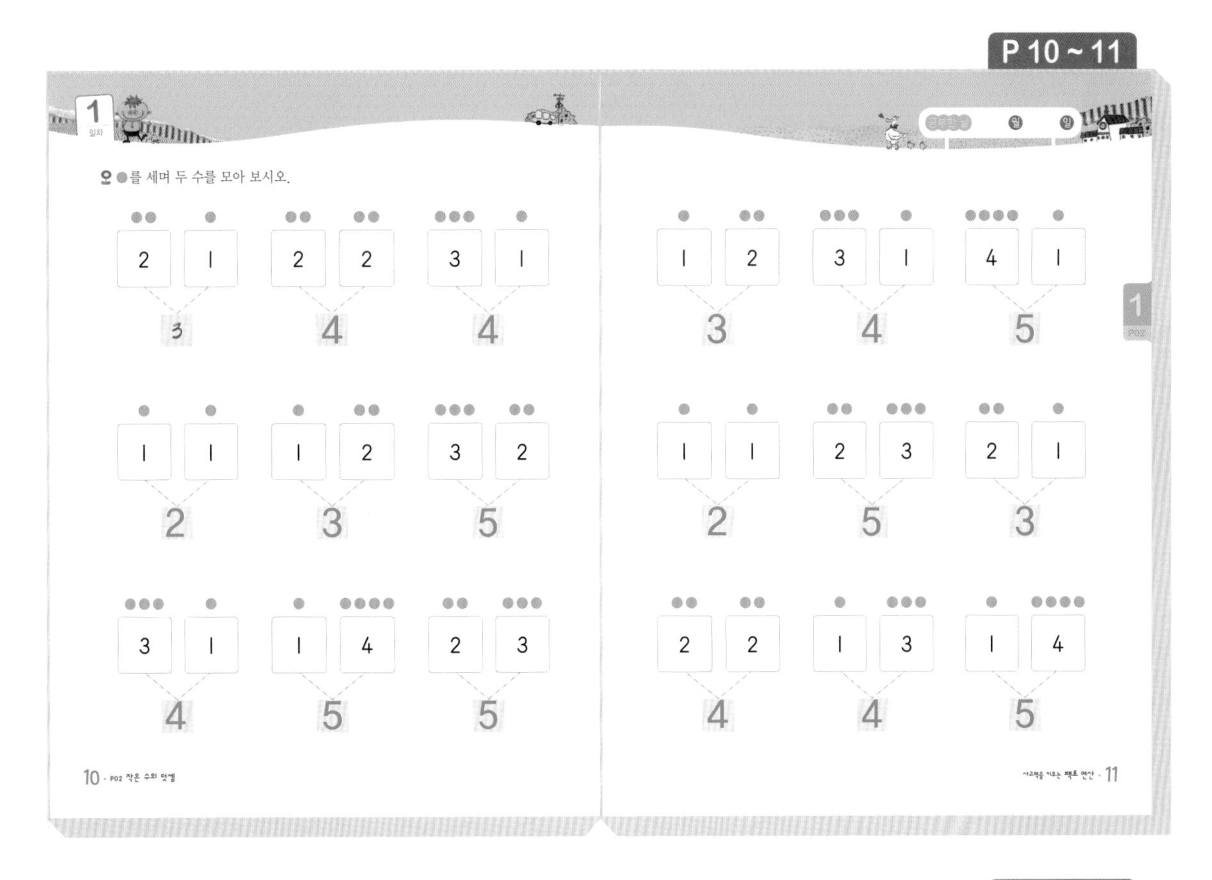

1
일차
●를 세며 두 수를 모아 보시오.
2 1 3
2 2 4
3 1 4
1 1 2
1 2 3
3 2 5
3 1 4
1 4 5
2 3 5
1 2 3
3 1 4
4 1 5
1 1 2
2 3 5
2 1 3
2 2 4
1 3 4
1 4 5
10 · P02 작은 수의 덧셈
사고력을 키우는 팩토 연산 · 11

P 12~ 13

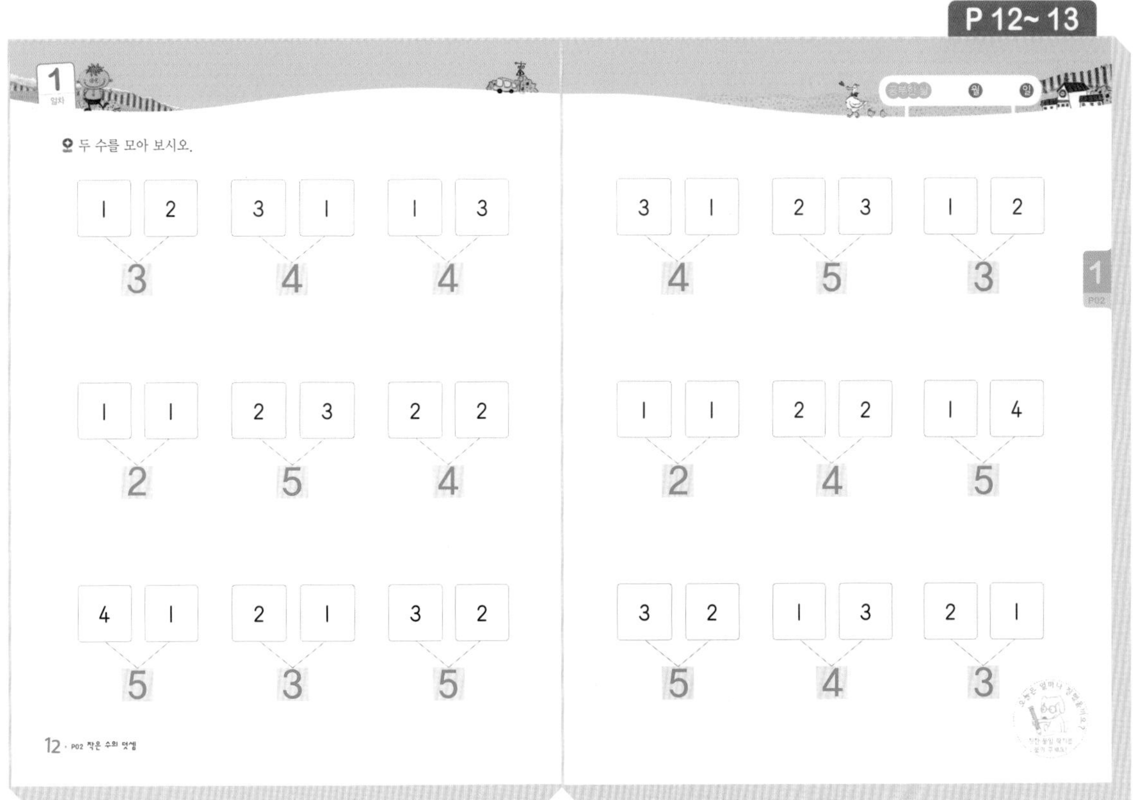

1
일차
두 수를 모아 보시오.
1 2 3
3 1 4
1 3 4
1 1 2
2 3 5
2 2 4
4 1 5
2 1 3
3 2 5
3 1 4
2 3 5
1 2 3
1 1 2
2 2 4
1 4 5
3 2 5
1 3 4
2 1 3
12 · P02 작은 수의 덧셈

평온한 숲 속에 여러 동물들이 살고 있네요. 나무 위에는 새들이 재잘재잘 이야기하고, 토끼는 나비를 쫓아다니며 놀고, 연못의 개구리들은 개굴개굴 노래를 하고 있어요. 동물 친구들이 1마리, 2마리, … 놀러 오네요. 동물 친구들은 모두 몇 마리일까요?

1일차에서 배운 모으기를 이용하여 합이 5이하인 덧셈식을 익히는 과정입니다.
아직 '+, =' 기호를 낯설어 하는 아이들에게 '+' 기호는 모으기 모형을, '=' 기호는 화살표를 연상하여 자연스럽게 이해할 수 있도록 지도해 주세요.

$2 + 1 = 3$ → $2 + 1 = 3$ → $2 + 1 = 3$

P 14 ~ 15

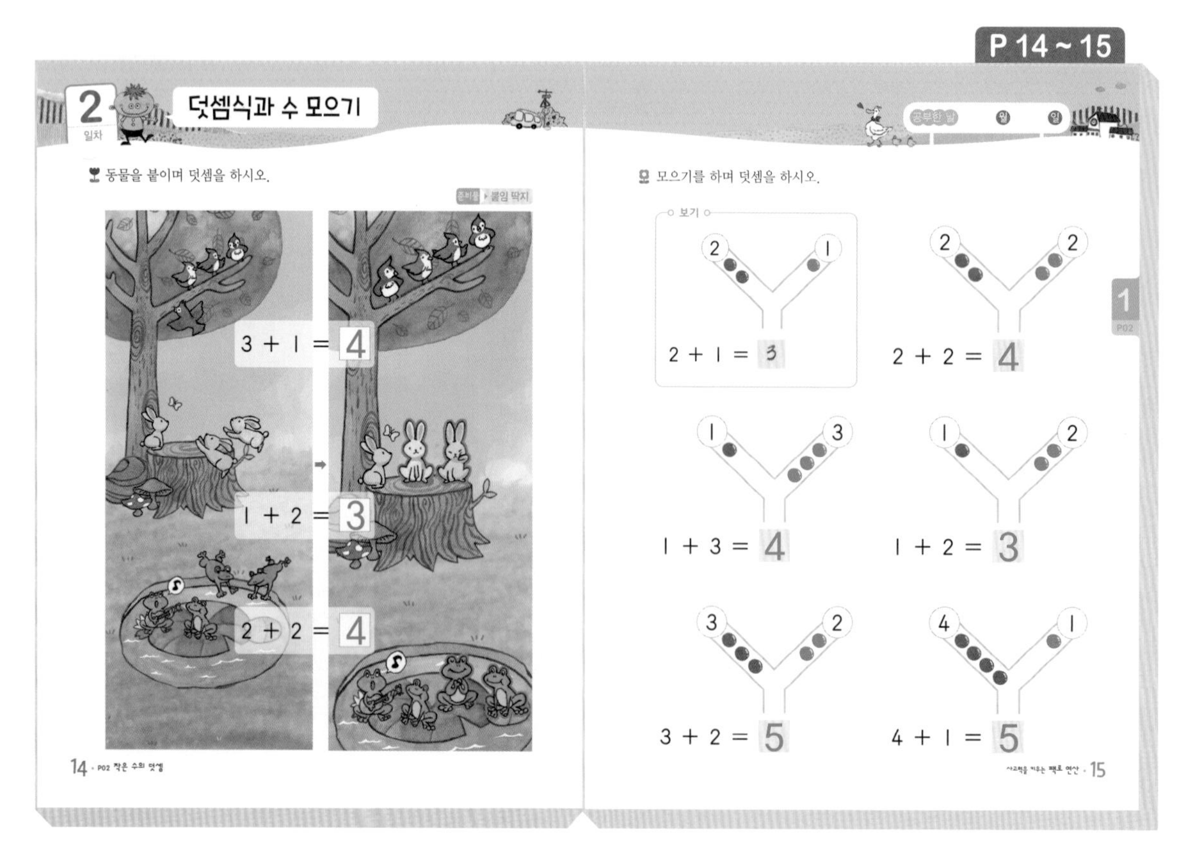

P 16 ~ 17

2 일차

두 수를 모아 덧셈을 하시오.

3 + 1 = 4 (4)

2 + 1 = 3 (3)

1 + 1 = 2 (2)

1 + 2 = 3 (3)

2 + 3 = 5 (5)

1 + 3 = 4 (4)

1 + 2 = 3 (3)

3 + 2 = 5 (5)

4 + 1 = 5 (5)

2 + 2 = 4 (4)

16 · P02 작은 수의 덧셈

2 + 1 = 3 (3)

3 + 2 = 5 (5)

4 + 1 = 5 (5)

1 + 2 = 3 (3)

2 + 2 = 4 (4)

2 + 3 = 5 (5)

1 + 4 = 5 (5)

2 + 2 = 4 (4)

3 + 1 = 4 (4)

1 + 1 = 2 (2)

사고력을 키우는 팩토 연산 · 17

P 18 ~ 19

2 일차

덧셈을 하시오.

1 + 2 = 3

3 + 2 = 5

3 + 1 = 4

2 + 2 = 4

4 + 1 = 5

1 + 2 = 3

1 + 1 = 2

2 + 2 = 4

2 + 1 = 3

2 + 3 = 5

1 + 4 = 5

3 + 1 = 4

18 · P02 작은 수의 덧셈

1 + 1 = 2

3 + 1 = 4

3 + 2 = 5

1 + 1 = 2

1 + 3 = 4

1 + 4 = 5

4 + 1 = 5

2 + 1 = 3

2 + 2 = 4

2 + 3 = 5

1 + 2 = 3

2 + 2 = 4

숲 속 동물 아파트에 여러 동물들이 살고 있네요. 1층에는 커다란 귀를 가진 토끼 식구, 2층에는 포근한 털을 가진 양 식구, 3층에는 부리가 긴 오리 식구, 4층에는 동글동글 귀여운 곰 식구. 각 층의 동물 식구들은 모두 몇 마리씩 있을까요?

4, 5일차에서 배우게 될 '9이하의 덧셈'을 학습하기 위해 5의 구조를 익히는 과정입니다. 5 모형 상자를 색칠하고 ◯를 그리는 연습을 한 후, 감각적으로 5모형을 머리 속으로 떠올리며 답이 자동으로 나올 수 있도록 지도해 주세요.

3 + 2 = 5 ➡ 3 + 2 = 5 ➡ 3 + 2 = 5

P 20 ~ 21

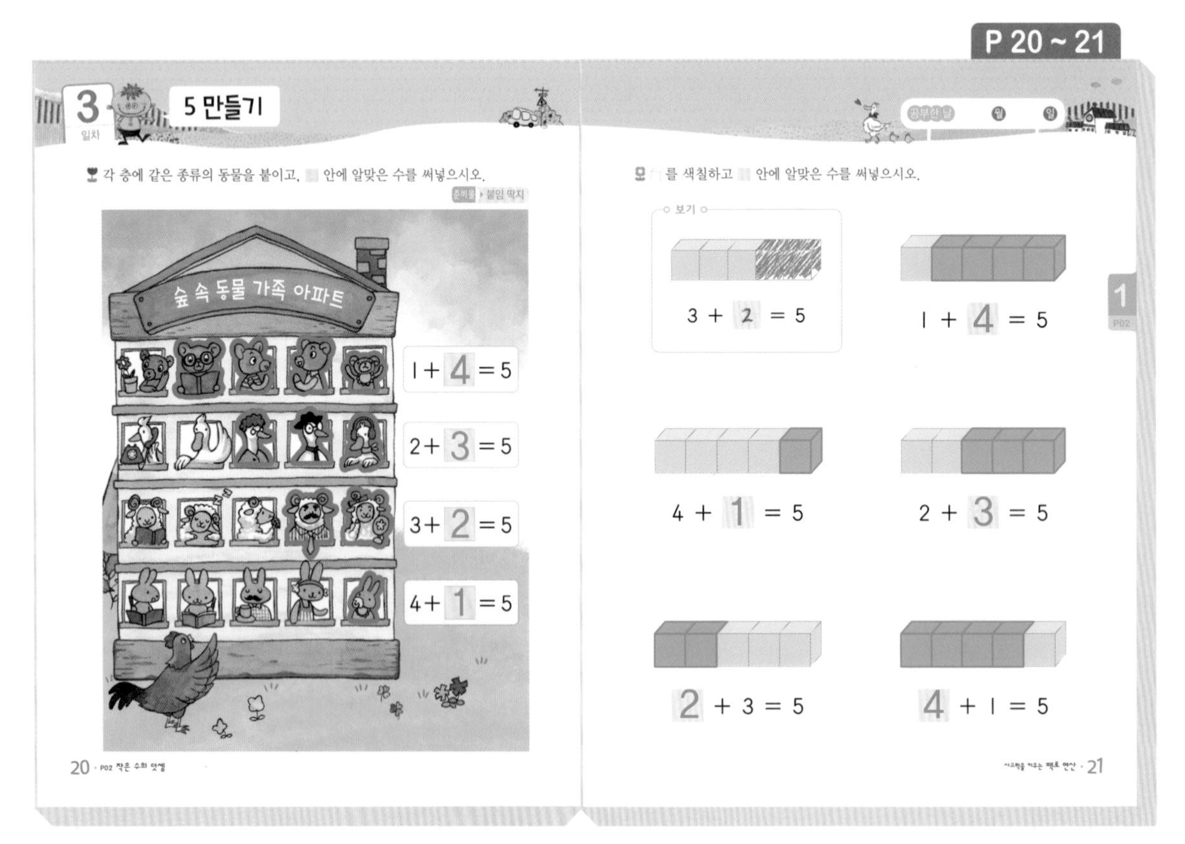

P 22 ~ 23

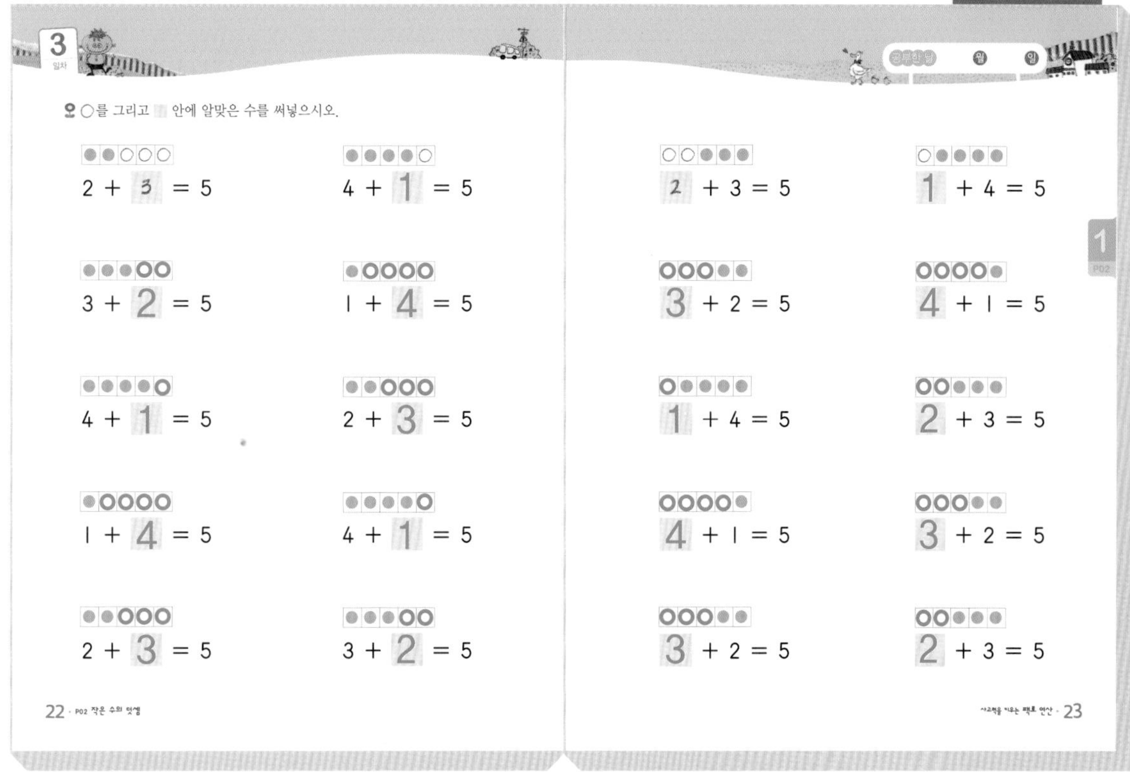
3 일차
○를 그리고 안에 알맞은 수를 써넣으시오.
2 + 3 = 5
4 + 1 = 5
2 + 3 = 5
1 + 4 = 5
3 + 2 = 5
1 + 4 = 5
3 + 2 = 5
4 + 1 = 5
4 + 1 = 5
2 + 3 = 5
1 + 4 = 5
2 + 3 = 5
1 + 4 = 5
4 + 1 = 5
4 + 1 = 5
3 + 2 = 5
2 + 3 = 5
3 + 2 = 5
3 + 2 = 5
2 + 3 = 5
22 · P02 작은 수의 덧셈
사고력을 키우는 팩토 연산 · 23

P 24 ~ 25

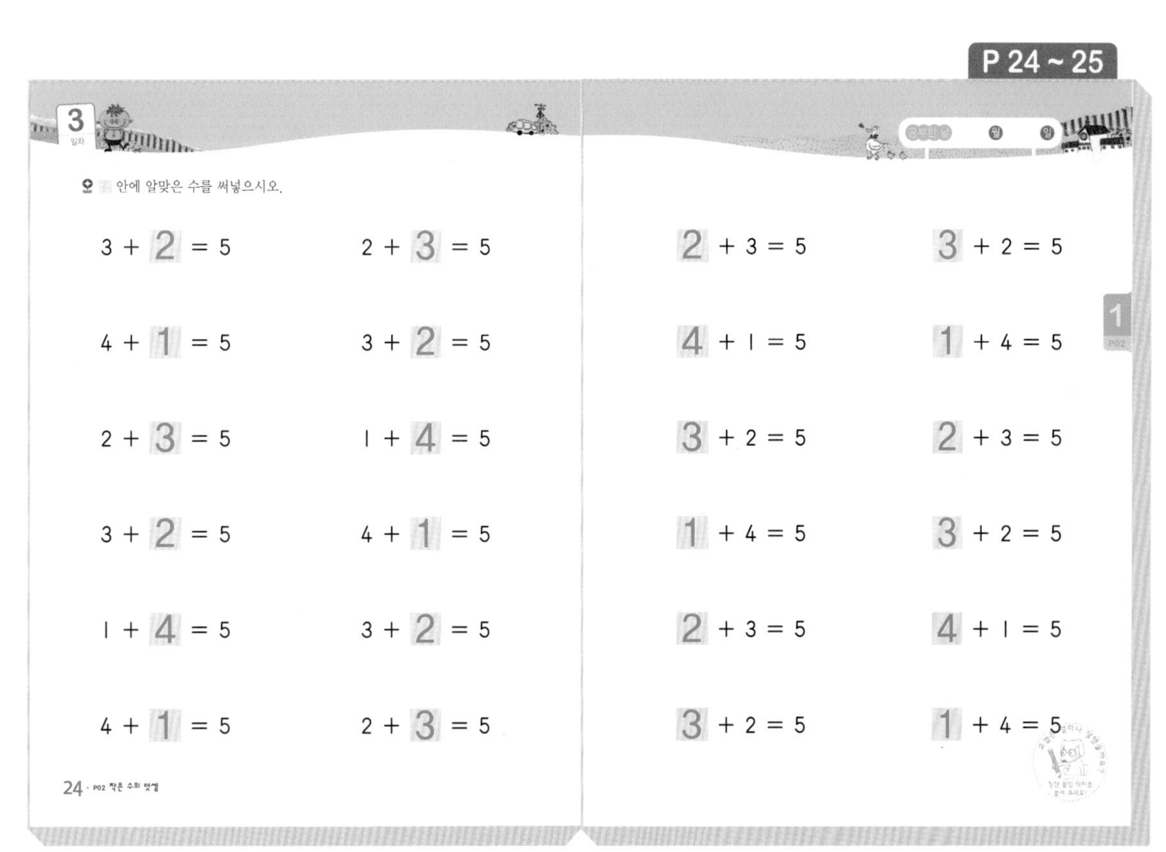
3 일차
안에 알맞은 수를 써넣으시오.
3 + 2 = 5
2 + 3 = 5
2 + 3 = 5
3 + 2 = 5
4 + 1 = 5
3 + 2 = 5
4 + 1 = 5
1 + 4 = 5
2 + 3 = 5
1 + 4 = 5
3 + 2 = 5
2 + 3 = 5
3 + 2 = 5
4 + 1 = 5
1 + 4 = 5
3 + 2 = 5
1 + 4 = 5
3 + 2 = 5
2 + 3 = 5
4 + 1 = 5
4 + 1 = 5
2 + 3 = 5
3 + 2 = 5
1 + 4 = 5
24 · P02 작은 수의 덧셈

담벼락에 승민이와 민성이가 낙서를 하고 있나 봐요. 주인 아주머니가 나와서 야단치면 어떡하려고 그러는 걸까요? 물을 묻혀 찍은 듯한 손도장들이 군데군데 있네요. 담벼락에 찍힌 손도장의 손가락 개수는 각각 몇 개일까요?

5일차의 합이 6, 7, 8, 9인 다양한 덧셈을 효율적으로 하기 위하여 5의 구조에 맞추어 계산하는 과정입니다. 한쪽 손과 계란판 윗줄의 5개 묶음을 활용하여 수를 일일이 세지 않고 5에서부터 연속하여 세는 연습을 한 후, 나중에는 그림의 자리가 나타내는 수를 직관적으로 알 수 있도록 지도해 주세요.

5 + 2 = 7 ➡ 5 + 2 = 7 ➡ 5 + 2 = 7

P 26 ~ 27

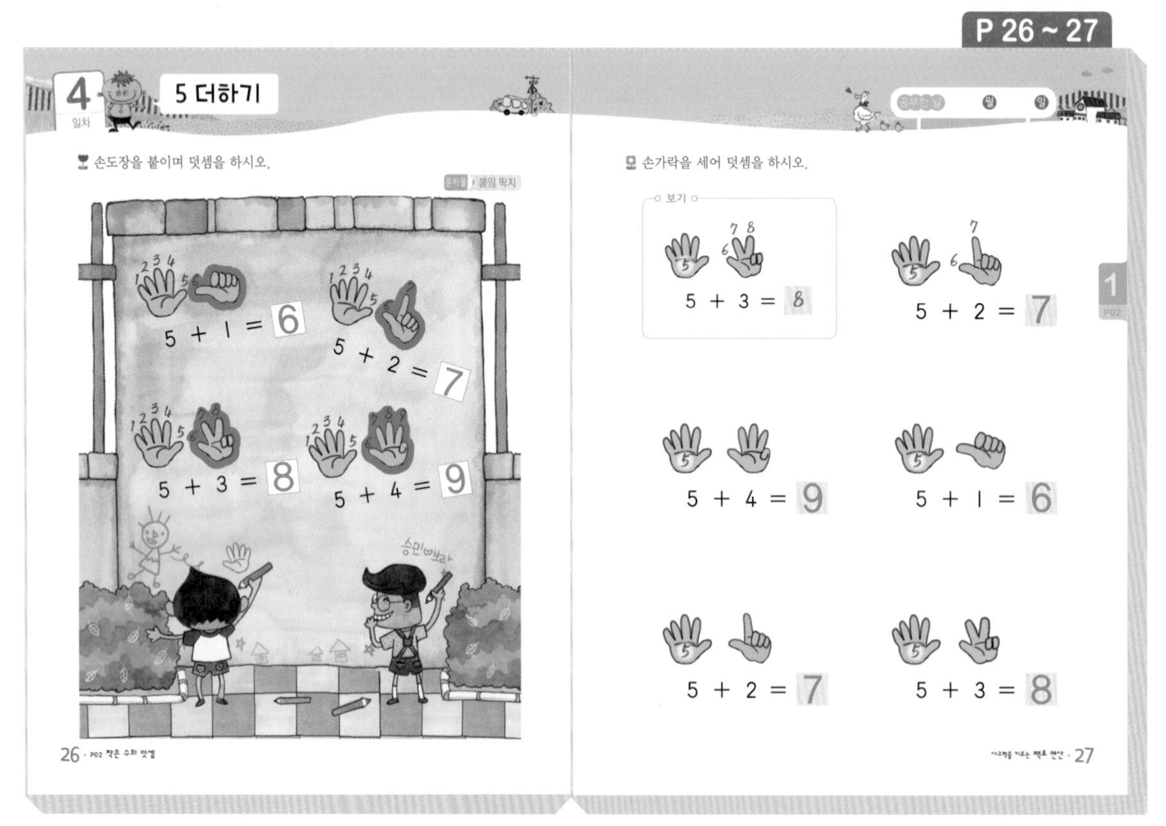

P 28 ~ 29

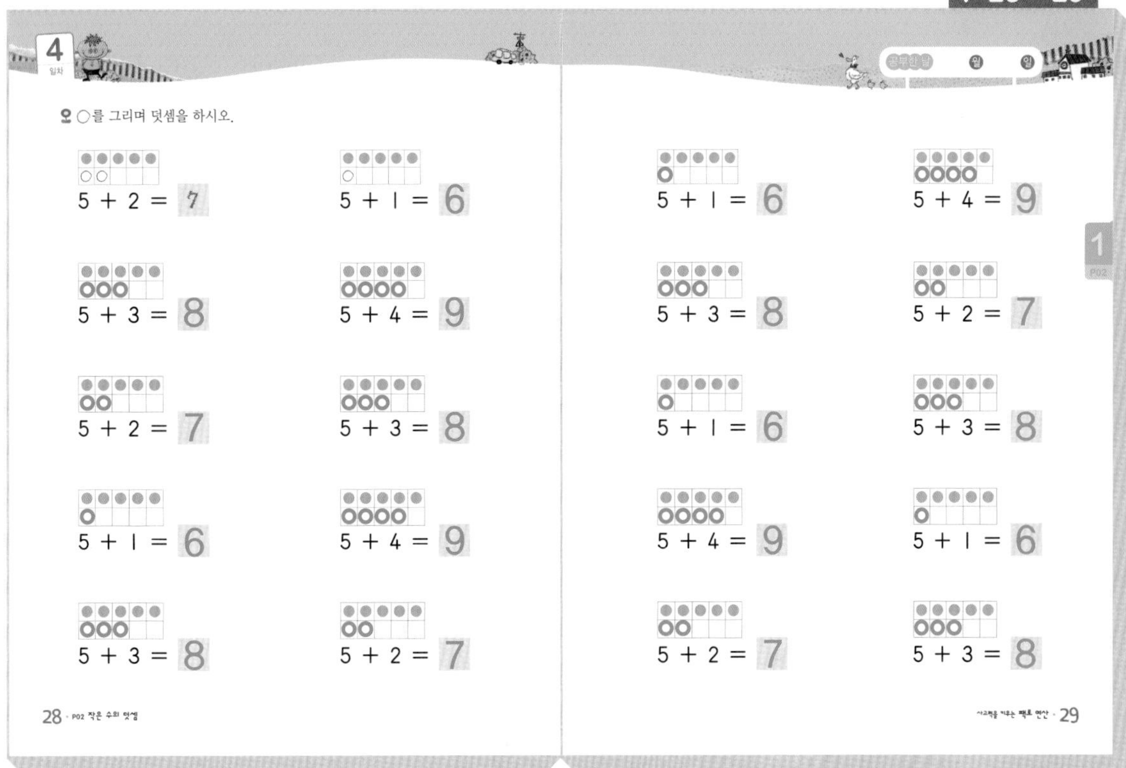

4 일차

○를 그리며 덧셈을 하시오.

$5 + 2 = 7$ $5 + 1 = 6$

$5 + 3 = 8$ $5 + 4 = 9$

$5 + 2 = 7$ $5 + 3 = 8$

$5 + 1 = 6$ $5 + 4 = 9$

$5 + 3 = 8$ $5 + 2 = 7$

28 · P02 작은 수의 덧셈

$5 + 1 = 6$ $5 + 4 = 9$

$5 + 3 = 8$ $5 + 2 = 7$

$5 + 1 = 6$ $5 + 3 = 8$

$5 + 4 = 9$ $5 + 1 = 6$

$5 + 2 = 7$ $5 + 3 = 8$

사고력을 키우는 팩토 연산 · 29

P 30 ~ 31

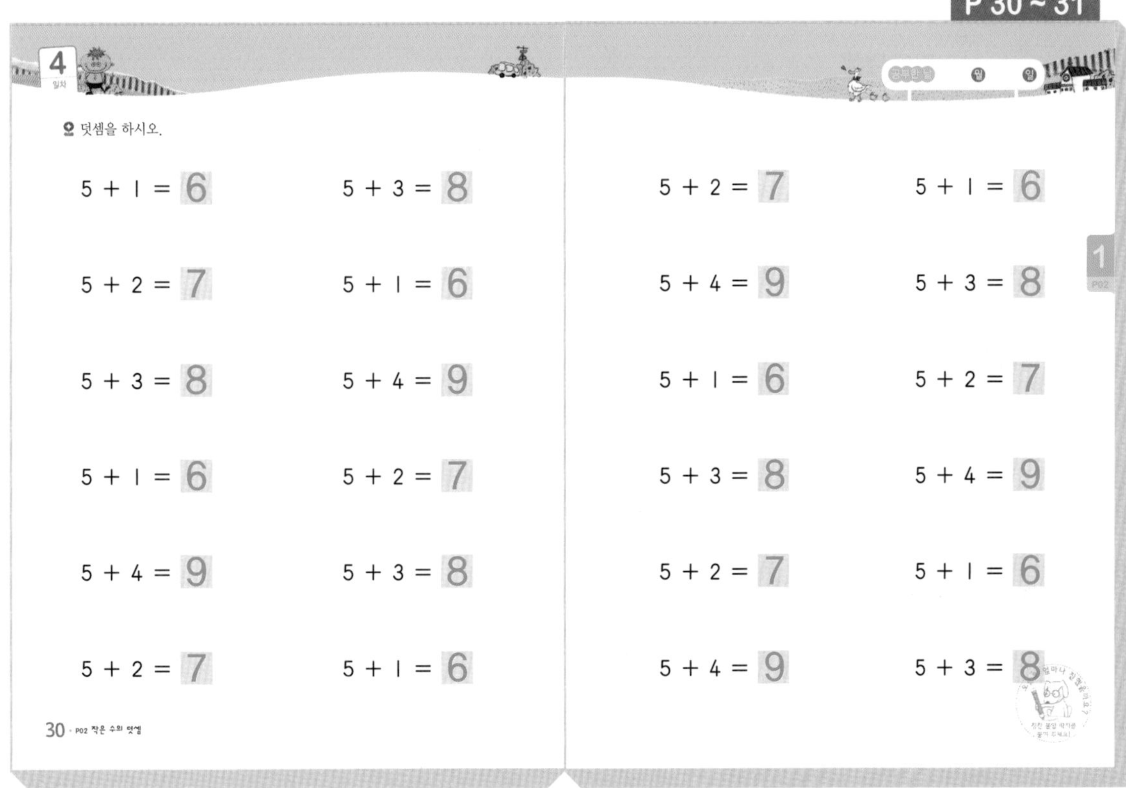

4 일차

덧셈을 하시오.

$5 + 1 = 6$ $5 + 3 = 8$

$5 + 2 = 7$ $5 + 1 = 6$

$5 + 3 = 8$ $5 + 4 = 9$

$5 + 1 = 6$ $5 + 2 = 7$

$5 + 4 = 9$ $5 + 3 = 8$

$5 + 2 = 7$ $5 + 1 = 6$

30 · P02 작은 수의 덧셈

$5 + 2 = 7$ $5 + 1 = 6$

$5 + 4 = 9$ $5 + 3 = 8$

$5 + 1 = 6$ $5 + 2 = 7$

$5 + 3 = 8$ $5 + 4 = 9$

$5 + 2 = 7$ $5 + 1 = 6$

$5 + 4 = 9$ $5 + 3 = 8$

꼬꼬닭들이 알을 낳았네요. 알을 품어 병아리로 부화시켜야 될텐데… 어떤 닭은 알을 지켜보고 있기만 하고, 어떤 닭은 따뜻한 봄 햇살 아래에서 졸고 있고, 어떤 닭은 부화시키는 방법을 공부하고 있나 봐요. 그나저나 꼬꼬닭들은 알을 몇 개나 낳았을까요?

1일차에서 4일차까지 학습한 '수가 나타내는 모양'을 계란판 또는 손의 모형으로 머리 속에 이미지화하여 덧셈을 하는 과정입니다. 계란판의 모형을 머리 속에 떠올리며 합이 6, 7, 8, 9인 다양한 덧셈을 연습하도록 지도해 주세요.

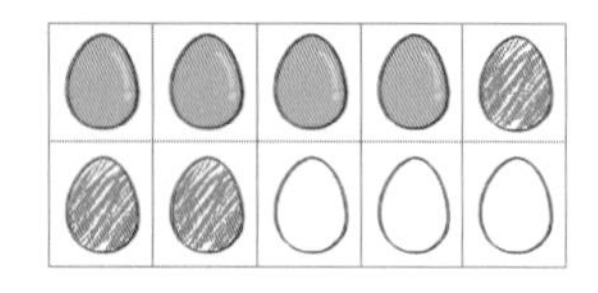

$4 + 3 = 7$

➡

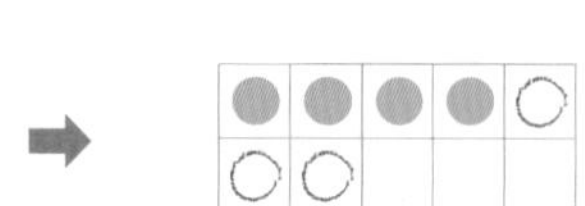

$4 + 3 = 7$

➡ $4 + 3 = 7$

P 32 ~ 33

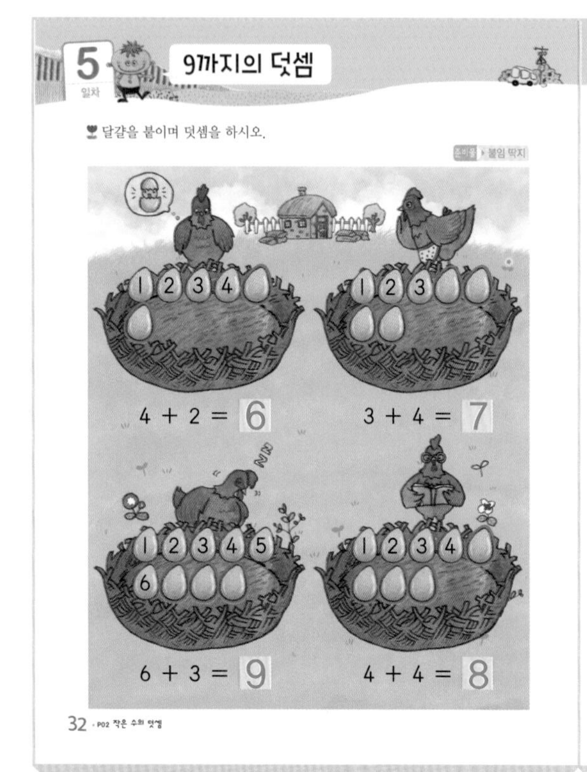

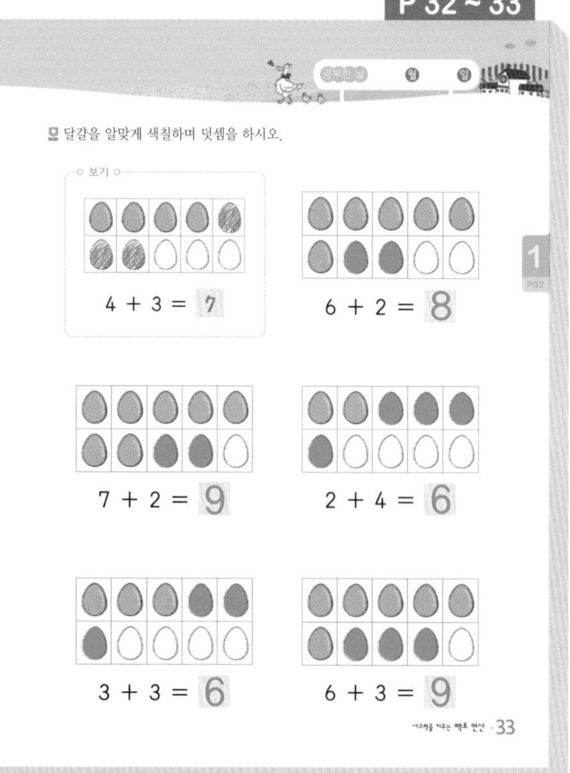

P 34 ~ 35

5 일차

○를 그리며 덧셈을 하시오.

3 + 4 = 7

4 + 2 = 6

6 + 2 = 8

3 + 3 = 6

4 + 3 = 7

2 + 6 = 8

4 + 4 = 8

1 + 6 = 7

8 + 1 = 9

6 + 3 = 9

6 + 1 = 7

3 + 6 = 9

4 + 5 = 9

8 + 1 = 9

3 + 3 = 6

1 + 5 = 6

7 + 1 = 8

7 + 2 = 9

2 + 5 = 7

4 + 3 = 7

34 · P02 작은 수의 덧셈

사고력을 키우는 팩토 연산 · 35

P 36 ~ 37

5 일차

덧셈을 하시오.

6 + 1 = 7

2 + 3 = 5

4 + 1 = 5

7 + 1 = 8

2 + 4 = 6

5 + 3 = 8

1 + 6 = 7

2 + 7 = 9

7 + 2 = 9

3 + 4 = 7

3 + 6 = 9

6 + 2 = 8

4 + 3 = 7

3 + 2 = 5

5 + 4 = 9

5 + 2 = 7

3 + 3 = 6

3 + 5 = 8

4 + 5 = 9

6 + 3 = 9

2 + 6 = 8

3 + 4 = 7

4 + 2 = 6

4 + 4 = 8

36 · P02 작은 수의 덧셈

P 38 ~ 39

2~4주 사고력 연산을 학습하기 전에 기본 연산 실력을 점검해 보세요.

1. 2 + 1 = 3
2. 3 + 2 = 5
3. 1 + 3 = 4
4. 5 + 1 = 6
5. 3 + 3 = 6
6. 1 + 8 = 9
7. 6 + 2 = 8
8. 3 + 4 = 7
9. 7 + 1 = 8
10. 3 + 6 = 9
11. 5 + 2 = 7
12. 4 + 4 = 8

38 · P02 작은 수의 덧셈

연산 실력 체크

13. 1 + 2 = 3
14. 3 + 3 = 6
15. 2 + 5 = 7
16. 5 + 4 = 9
17. 3 + 5 = 8
18. 1 + 1 = 2
19. 2 + 4 = 6
20. 7 + 2 = 9
21. 2 + 2 = 4
22. 3 + 4 = 7
23. 2 + 3 = 5
24. 6 + 2 = 8

사고력을 키우는 팩토 연산 · 39

P 40 ~ 41

작은 수의 덧셈

25. 3 + 1 = 4
26. 4 + 4 = 8
27. 1 + 4 = 5
28. 4 + 2 = 6
29. 3 + 5 = 8
30. 3 + 3 = 6
31. 5 + 4 = 9
32. 4 + 3 = 7
33. 2 + 1 = 3
34. 2 + 7 = 9
35. 3 + 2 = 5
36. 2 + 5 = 7

40 · P02 작은 수의 덧셈

연산 실력 체크

37. 5 + 3 = 8
38. 4 + 2 = 6
39. 2 + 5 = 7
40. 6 + 3 = 9

연산 실력 분석

오답 수에 맞게 학습을 진행하시기 바랍니다.

평가	오답 수	학습 방법
최고예요	0 ~ 2개	전반적으로 학습 내용에 대해 정확히 이해하고 있으며 매우 우수합니다. 기본 연산 문제를 자신 있게 풀 수 있는 실력을 갖추었으므로 이제는 사고력을 향상시킬 차례입니다. 2주차부터 차근차근 학습을 진행해 보세요. 학습 [2주차] → [3주차] → [4주차]
잘했어요	3 ~ 4개	기본 연산 문제를 전반적으로 잘 이해하고 풀었지만 약간의 실수가 있는 것 같습니다. 틀린 문제를 다시 한 번 풀어 보고, 문제를 차근차근 푸는 습관을 갖도록 노력해 보세요. 매스티안 홈페이지에서 제공하는 보충 학습으로 연산 실력을 향상시킨 후 2, 3, 4주차 학습을 진행해 주세요. 학습 [틀린 문제 복습] → [보충 학습] → [2주차] → …
노력해요	5개 이상	개념을 정확하게 이해하고 있지 않아 연산을 하는데 어려움이 있습니다. 개념을 이해하고 연산 문제를 반복해서 연습해 보세요. 매스티안 홈페이지에서 제공하는 보충 학습이 연산 실력을 향상시키는데 도움이 될 것입니다. 여러분도 곧 연산왕이 될 수 있습니다. 조금만 힘을 내 주세요. 학습 [1주차 원리 중심 복습] → [보충 학습] → [2주차] → …

매스티안 홈페이지 : www.mathtian.com

사고력을 키우는 팩토 연산 · 41

P 44 ~ 45

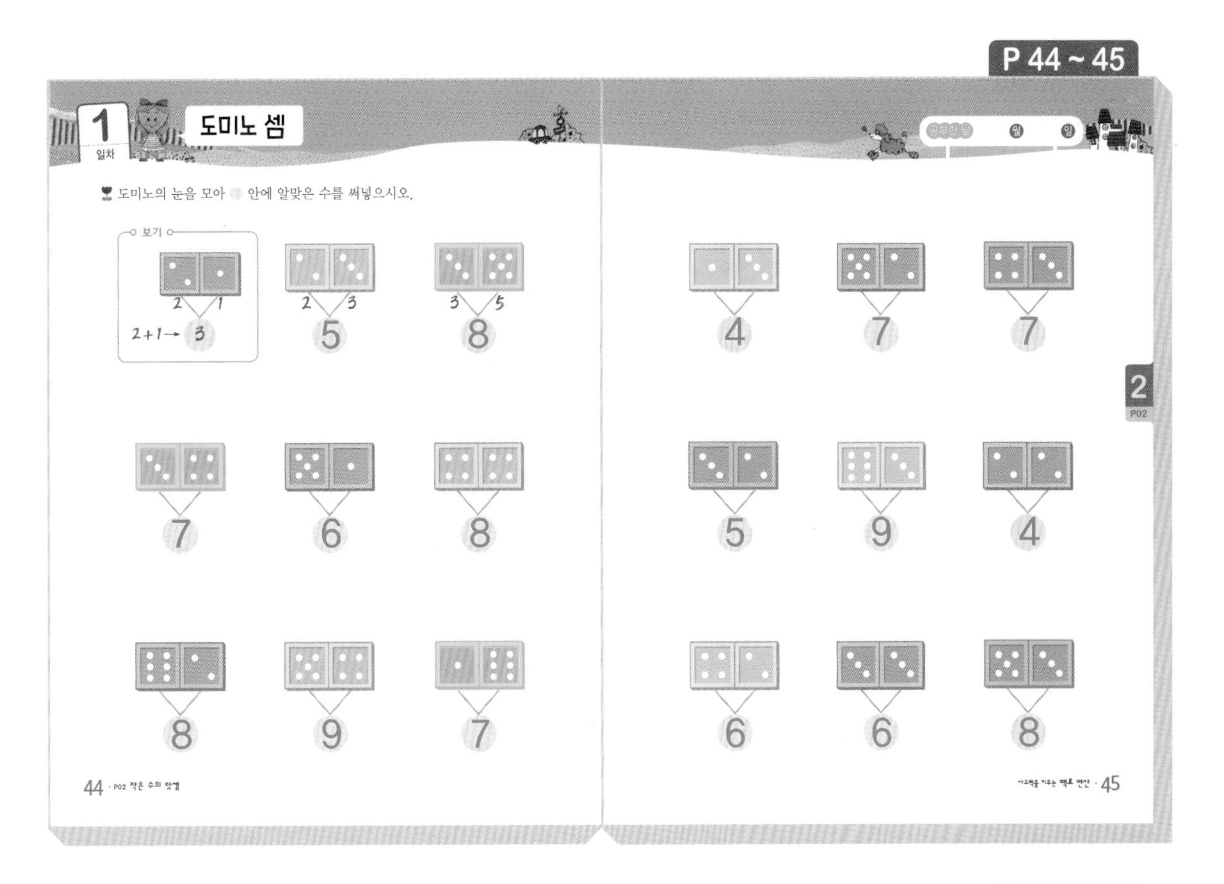
1 일차
도미노 셈
도미노의 눈을 모아 ○ 안에 알맞은 수를 써넣으시오.
보기
2 1
2+1→ 3
2 3
5
3 5
8
7
6
8
8
9
7
4
7
7
5
9
4
6
6
8
44 · P02 작은 수의 덧셈
사고력을 키우는 팩토 연산 · 45

P 46 ~ 47

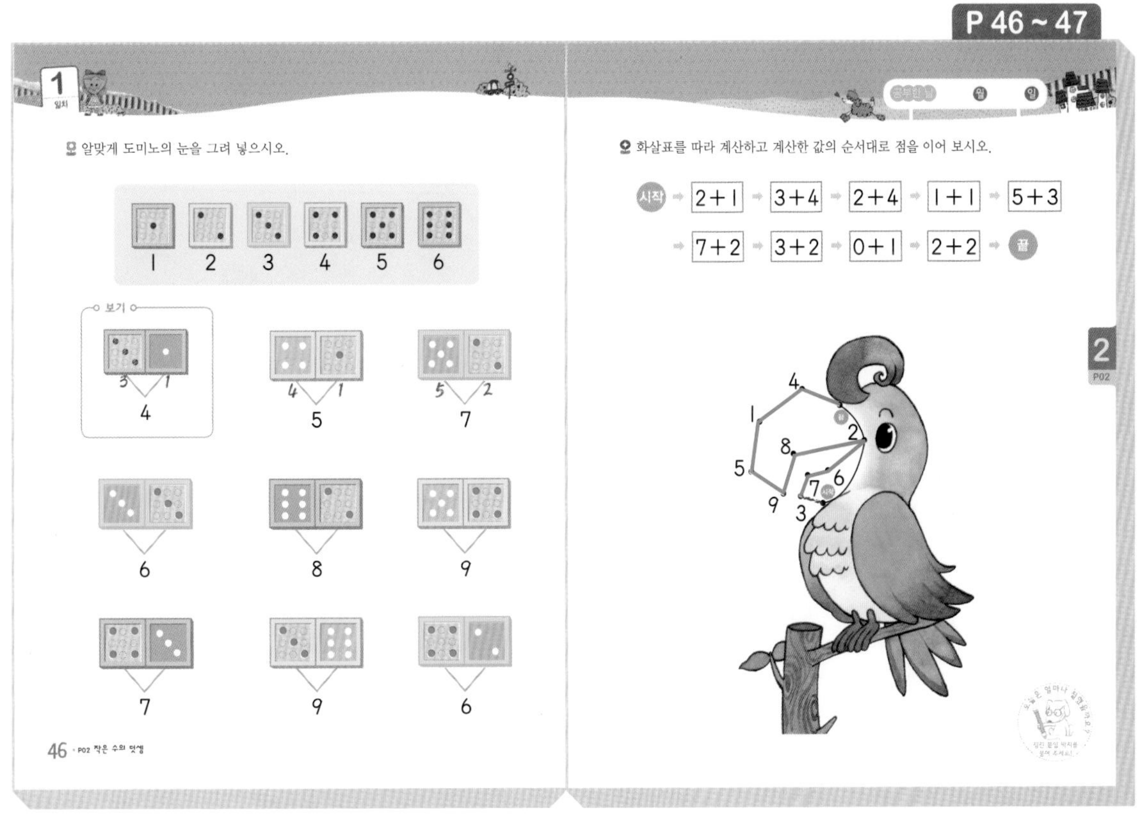
1 일차
알맞게 도미노의 눈을 그려 넣으시오.
1 2 3 4 5 6
보기
3 1
4
4 1
5
5 2
7
6
8
9
7
9
6
46 · P02 작은 수의 덧셈
화살표를 따라 계산하고 계산한 값의 순서대로 점을 이어 보시오.
시작
2+1
3+4
2+4
1+1
5+3
7+2
3+2
0+1
2+2
끝

P 48 ~ 49

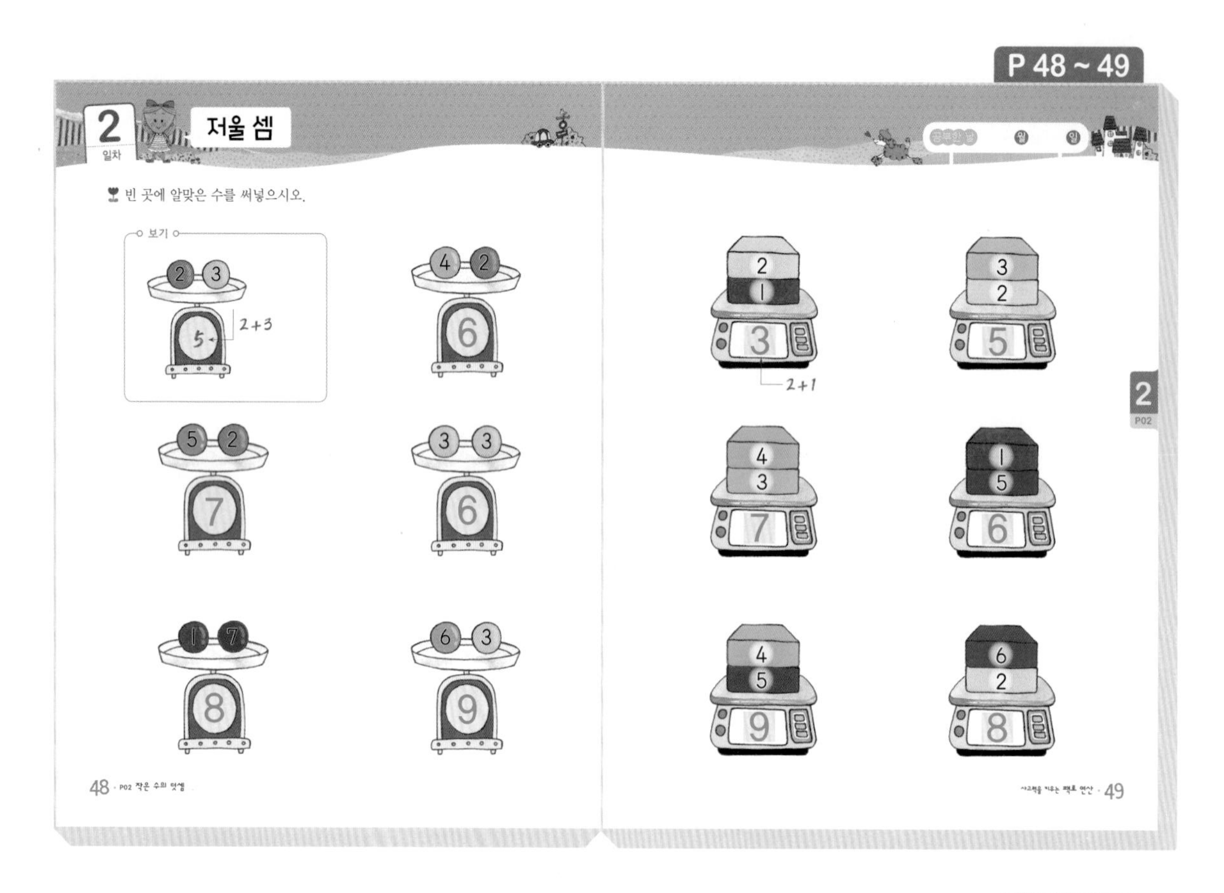
2 일차 저울 셈
빈 곳에 알맞은 수를 써넣으시오.
보기
2 3
5
2+3
4 2
6
5 2
7
3 3
6
1 7
8
6 3
9
2
1
3
2+1
3
2
5
4
3
7
1
5
6
4
5
9
6
2
8
48 · P02 작은 수의 덧셈
49

P 50 ~ 51

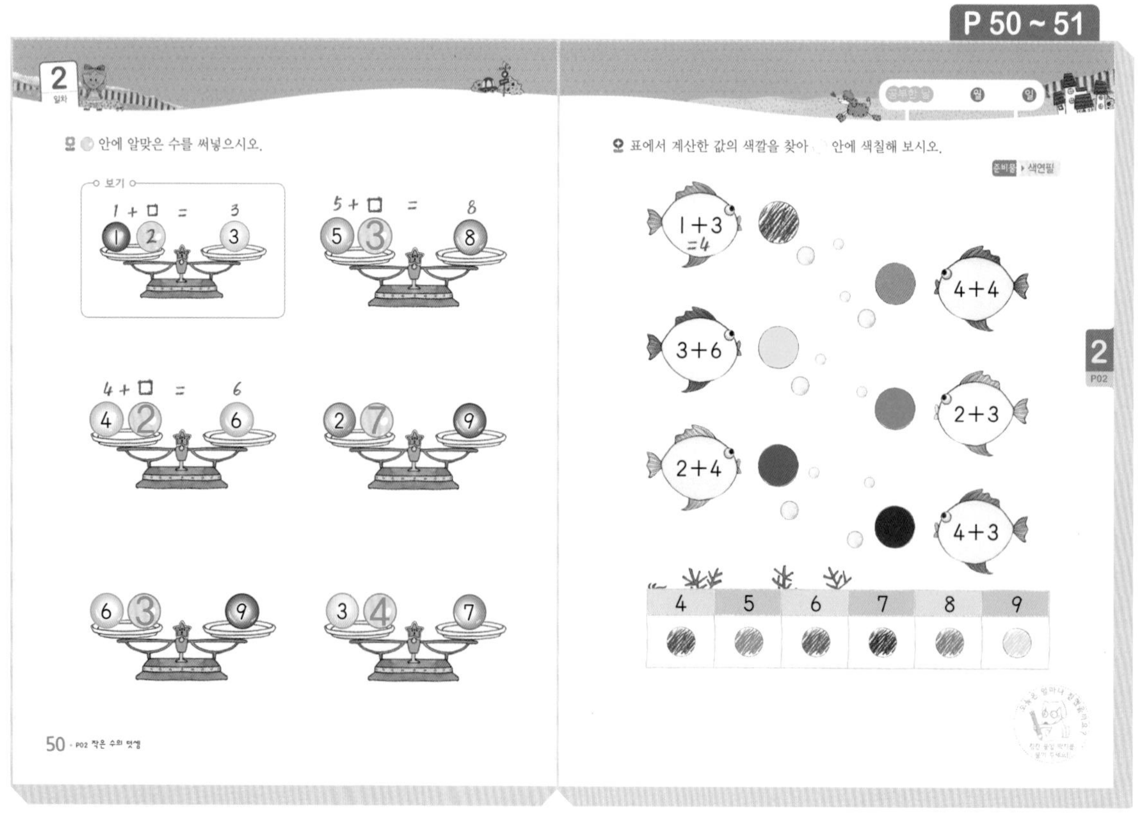
2 일차
안에 알맞은 수를 써넣으시오.
보기
1 + □ = 3
1 2 3
5 + □ = 8
5 3 8
4 + □ = 6
4 2 6
2 7 9
6 3 9
3 4 7
표에서 계산한 값의 색깔을 찾아 안에 색칠해 보시오.
준비물 색연필
1+3 =4
4+4
3+6
2+3
2+4
4+3
4 5 6 7 8 9
50 · P02 작은 수의 덧셈

P 52 ~ 53

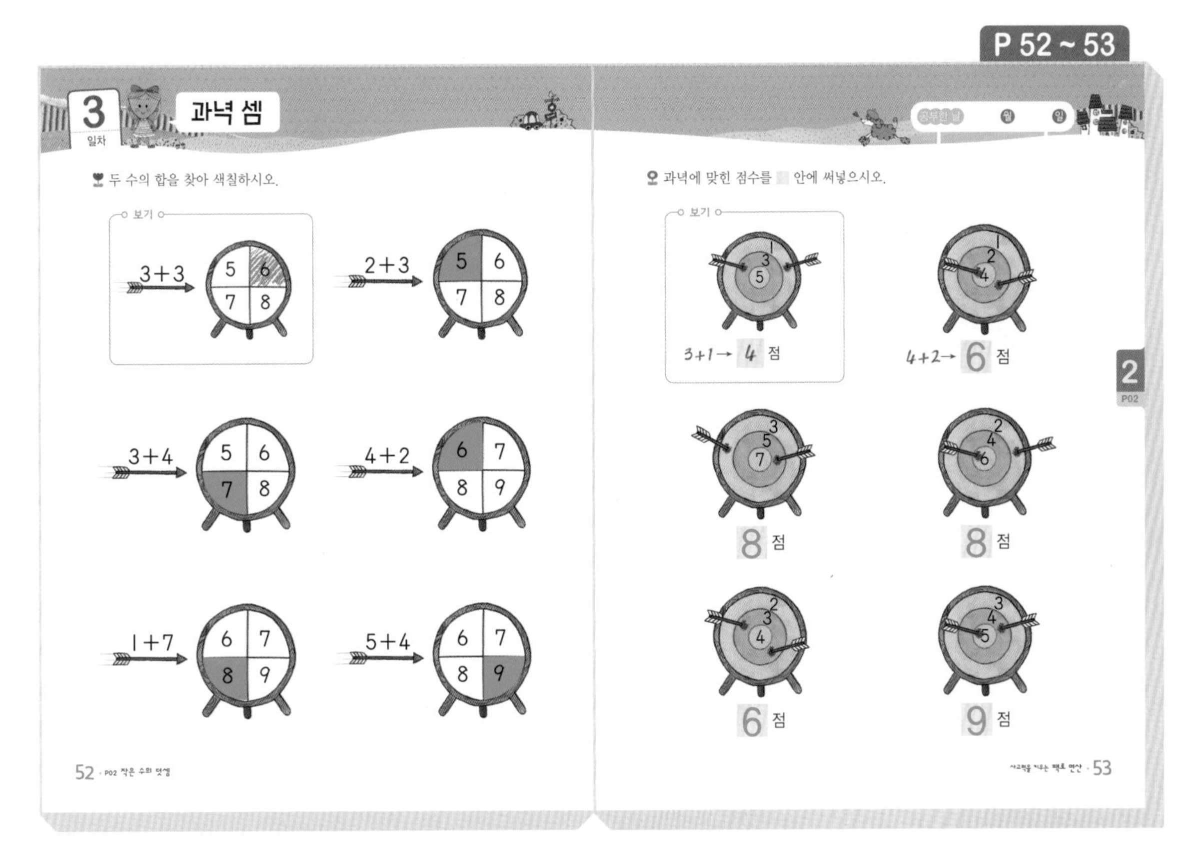
3 일차 과녁 셈
두 수의 합을 찾아 색칠하시오.
보기
3+3
2+3
3+4
4+2
1+7
5+4
과녁에 맞힌 점수를 안에 써넣으시오.
3+1→ 4 점
4+2→ 6 점
8 점
8 점
6 점
9 점
52 · P02 작은 수의 덧셈
사고력을 키우는 팩토 연산 · 53

P 54 ~ 55

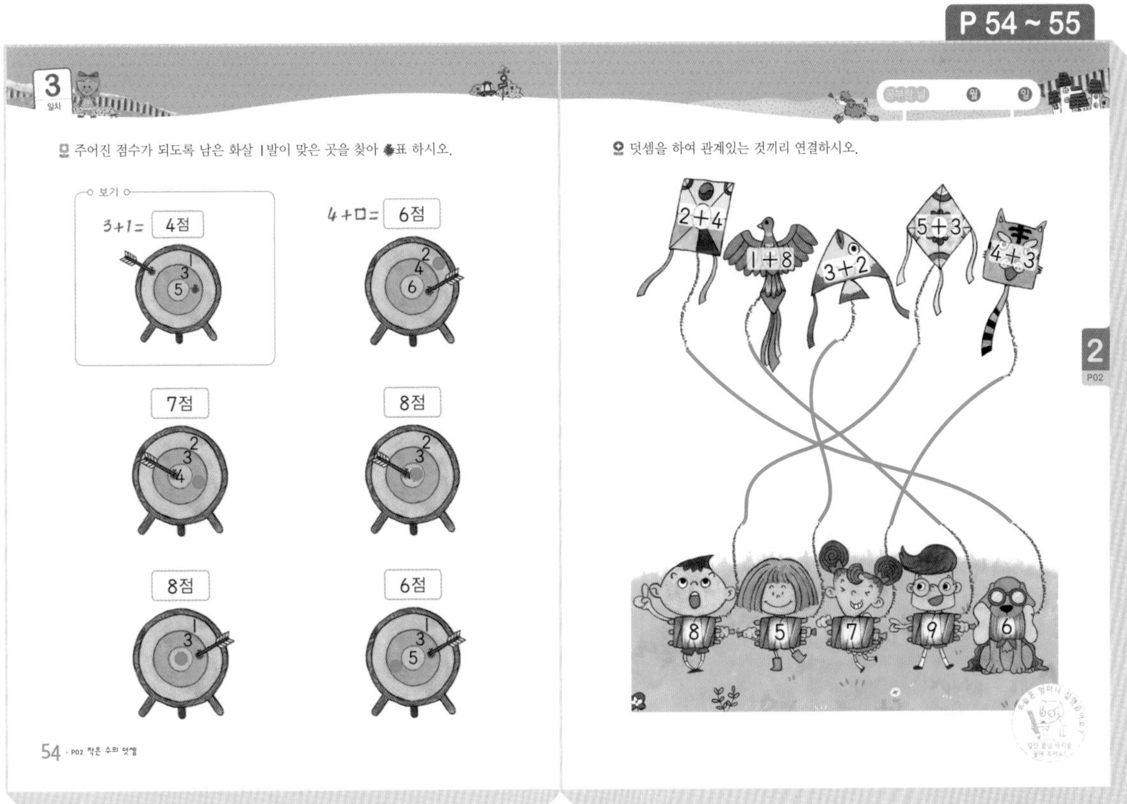
3 일차
주어진 점수가 되도록 남은 화살 1발이 맞은 곳을 찾아 ●표 하시오.
보기
3+1= 4점
4+□= 6점
7점
8점
8점
6점
덧셈을 하여 관계있는 것끼리 연결하시오.
2+4
1+8
3+2
5+3
4+3
54 · P02 작은 수의 덧셈

P 56 ~ 57

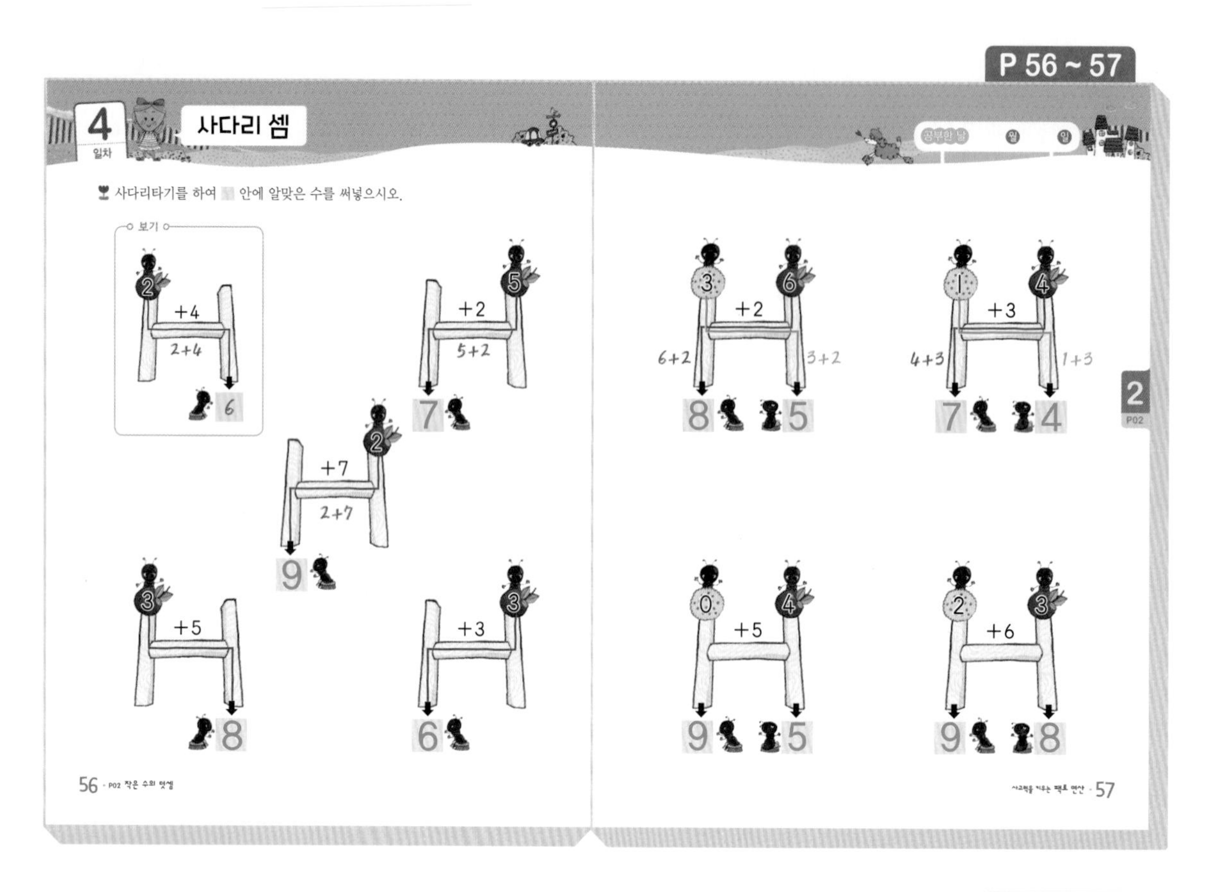
4 일차
사다리 셈
사다리타기를 하여 안에 알맞은 수를 써넣으시오.
보기
+4
2+4
6
+2
5+2
7
+7
2+7
9
+5
8
+3
6
+2
6+2
3+2
8
5
+3
4+3
1+3
7
4
+5
9
5
+6
9
8
56 · P02 작은 수의 덧셈
57

P 58 ~ 59

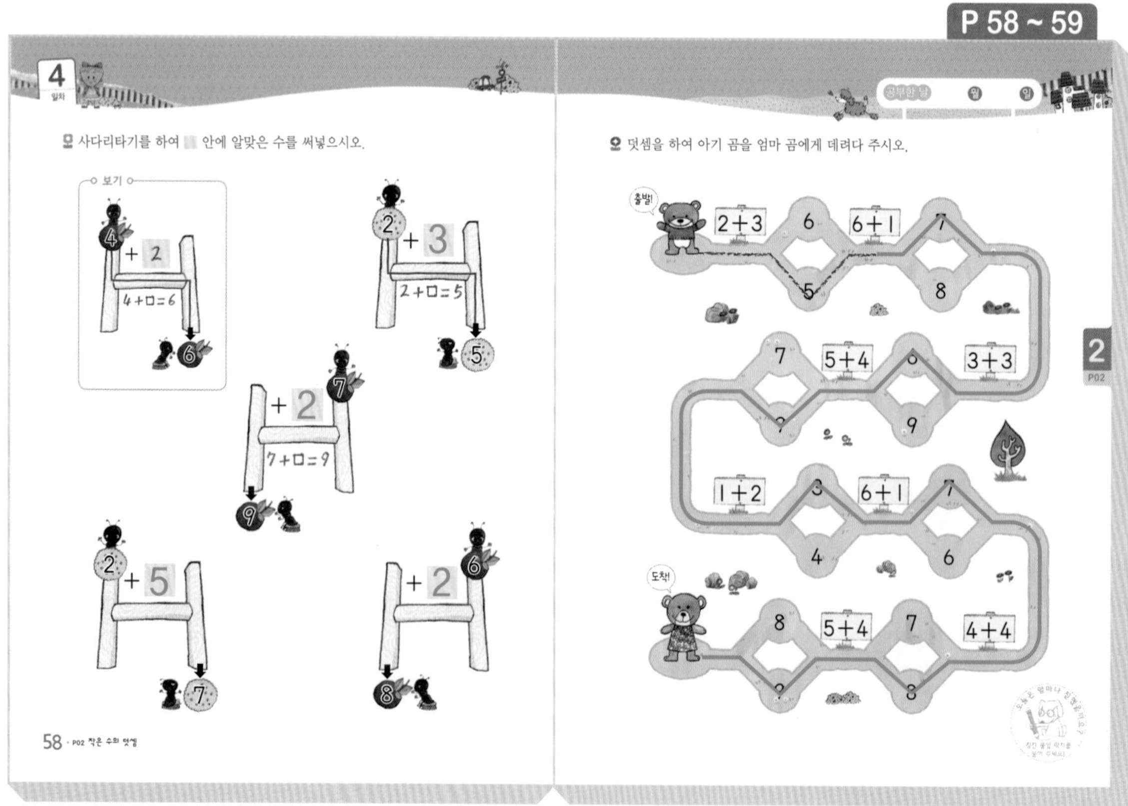
4 일차
사다리타기를 하여 안에 알맞은 수를 써넣으시오.
보기
+2
4+□=6
+3
2+□=5
+2
7+□=9
+5
+2
덧셈을 하여 아기 곰을 엄마 곰에게 데려다 주시오.
출발!
2+3
6+1
5+4
3+3
1+2
6+1
도착!
5+4
4+4
58 · P02 작은 수의 덧셈

P02
정답

P 60 ~ 61

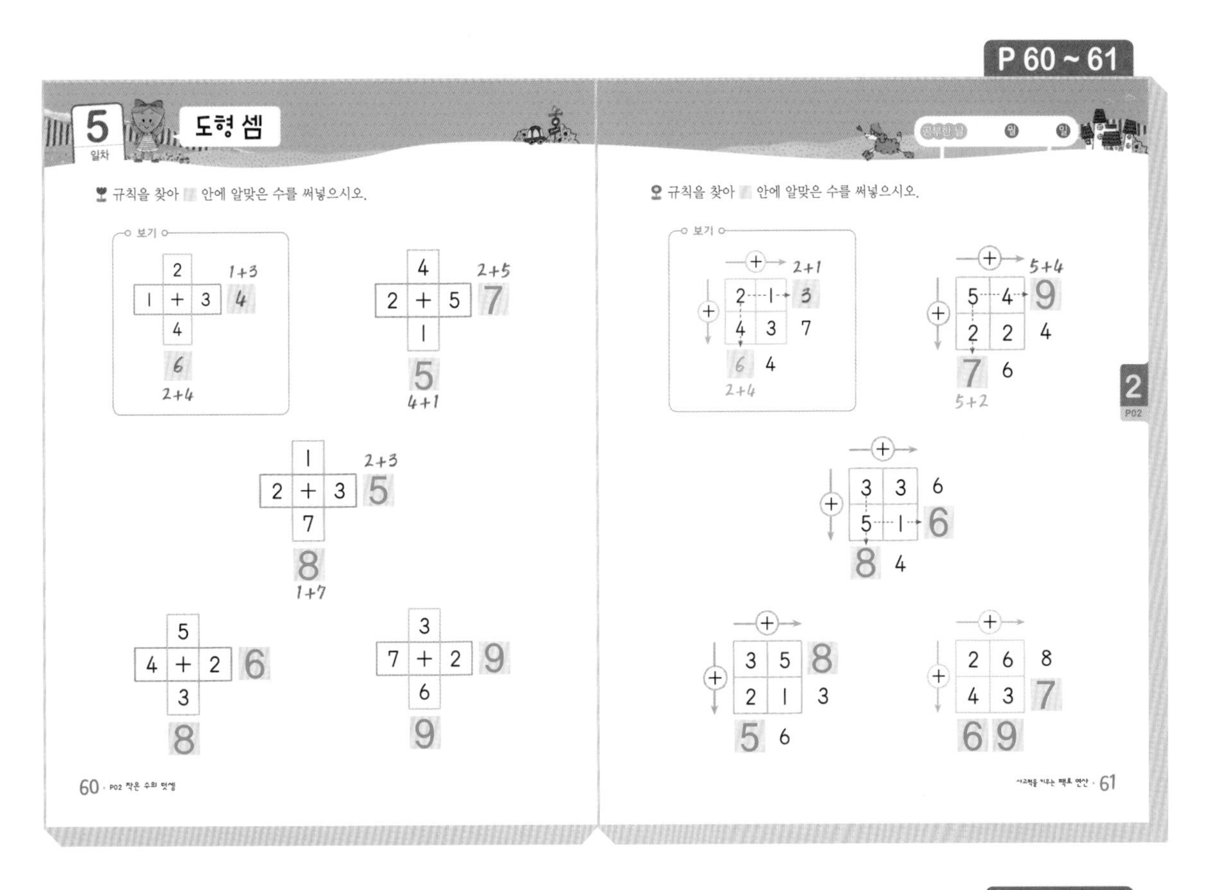
5 일차 도형 셈
규칙을 찾아 안에 알맞은 수를 써넣으시오.
보기
60 · P02 작은 수의 덧셈
사고력을 키우는 팩토 연산 · 61

P 62 ~ 63

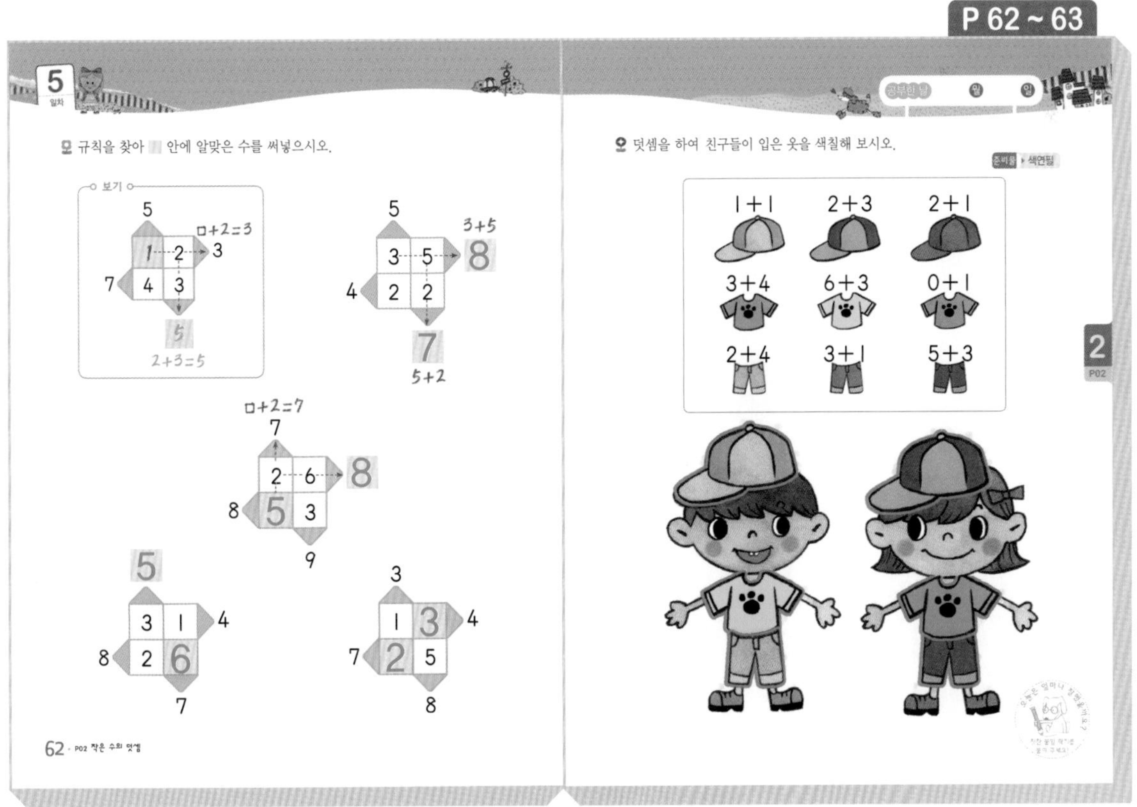
규칙을 찾아 안에 알맞은 수를 써넣으시오.
보기
덧셈을 하여 친구들이 입은 옷을 색칠해 보시오.
1+1
2+3
2+1
3+4
6+3
0+1
2+4
3+1
5+3
62 · P02 작은 수의 덧셈

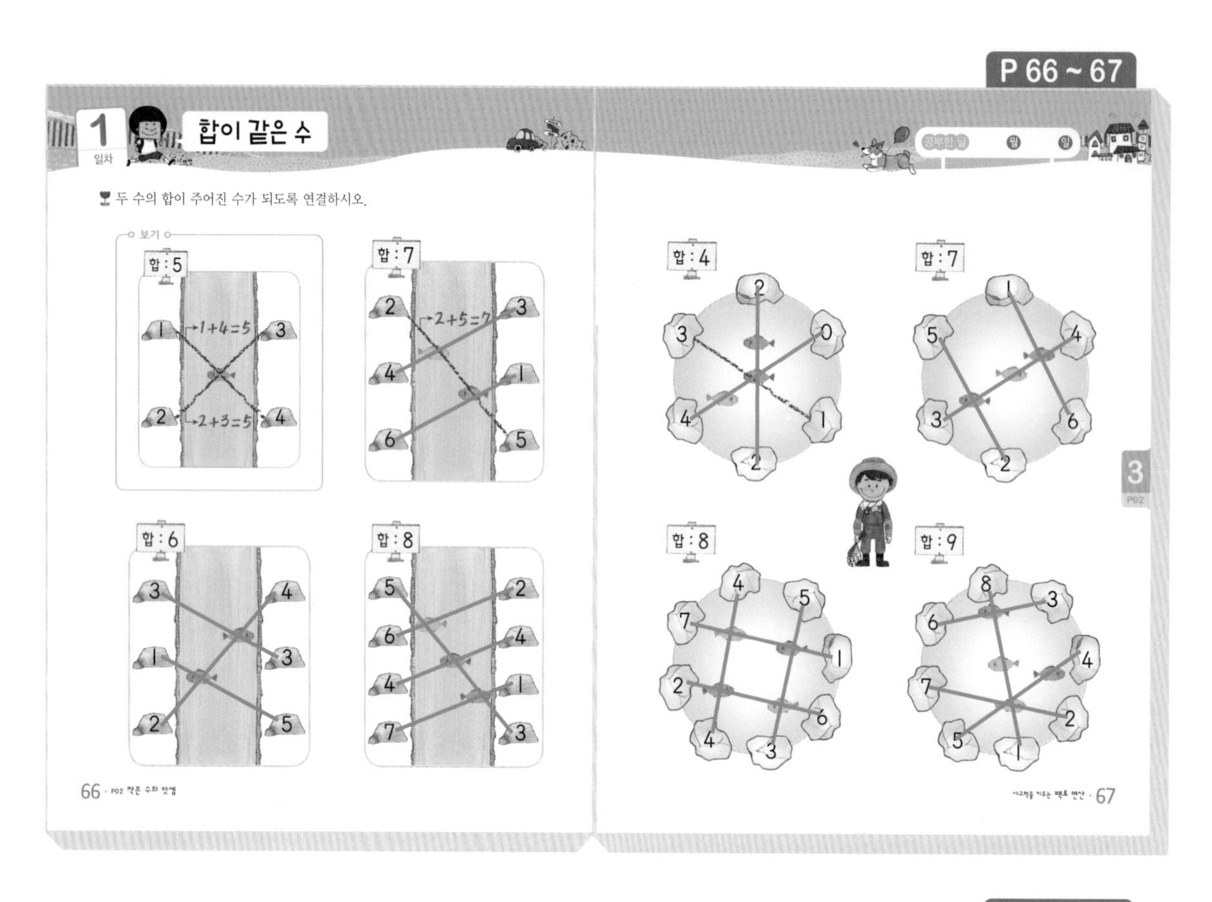
P 66 ~ 67
1 일차 합이 같은 수
두 수의 합이 주어진 수가 되도록 연결하시오.
보기
합 : 5
1+4=5
2+3=5
합 : 7
2+5=7
합 : 6
합 : 8
합 : 4
합 : 7
합 : 8
합 : 9
66 · P02 작은 수의 덧셈
67

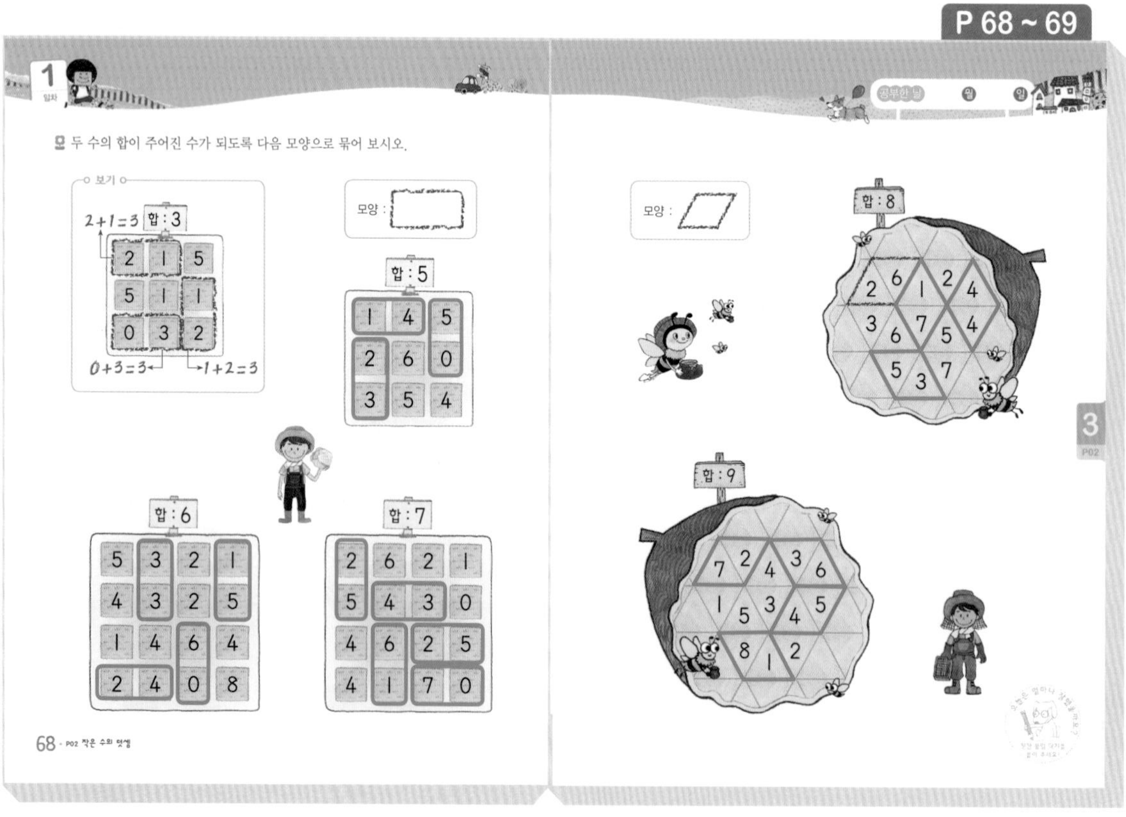
P 68 ~ 69
1 일차
두 수의 합이 주어진 수가 되도록 다음 모양으로 묶어 보시오.
보기
2+1=3 합 : 3
0+3=3
1+2=3
모양 :
합 : 5
합 : 6
합 : 7
모양 :
합 : 8
합 : 9
68 · P02 작은 수의 덧셈

P 70 ~ 71

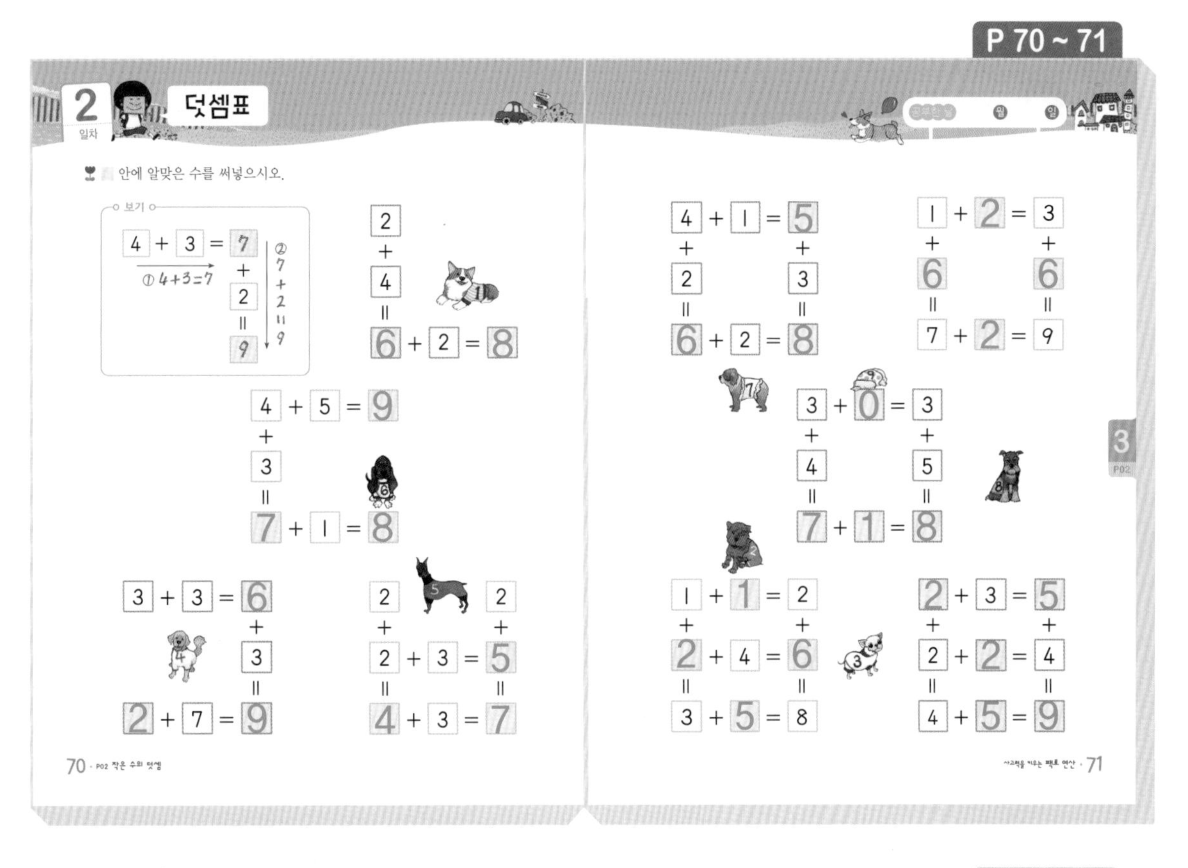
2 일차 덧셈표
안에 알맞은 수를 써넣으시오.
보기
4 + 3 = 7
① 4+3=7
② 7+2=9
70 · P02 작은 수의 덧셈
사고력을 키우는 팩토 연산 · 71

P 72 ~ 73

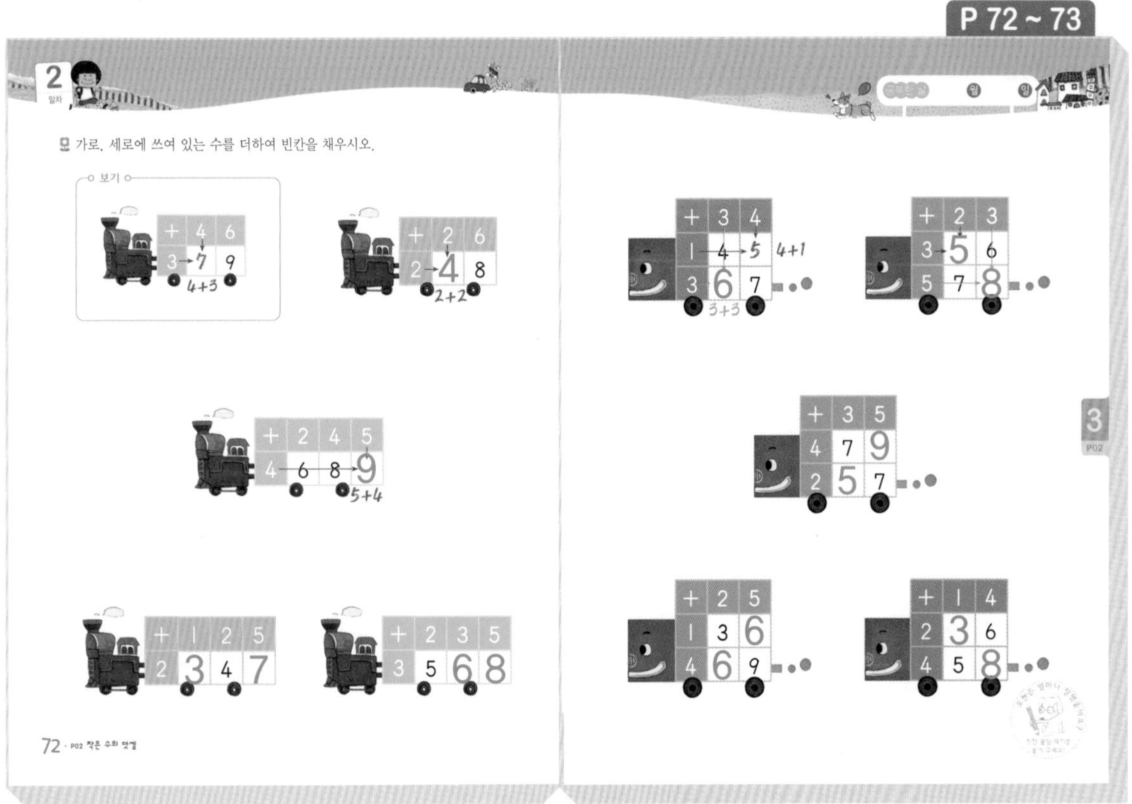
2 일차
가로, 세로에 쓰여 있는 수를 더하여 빈칸을 채우시오.
보기
72 · P02 작은 수의 덧셈

P 74 ~ 75

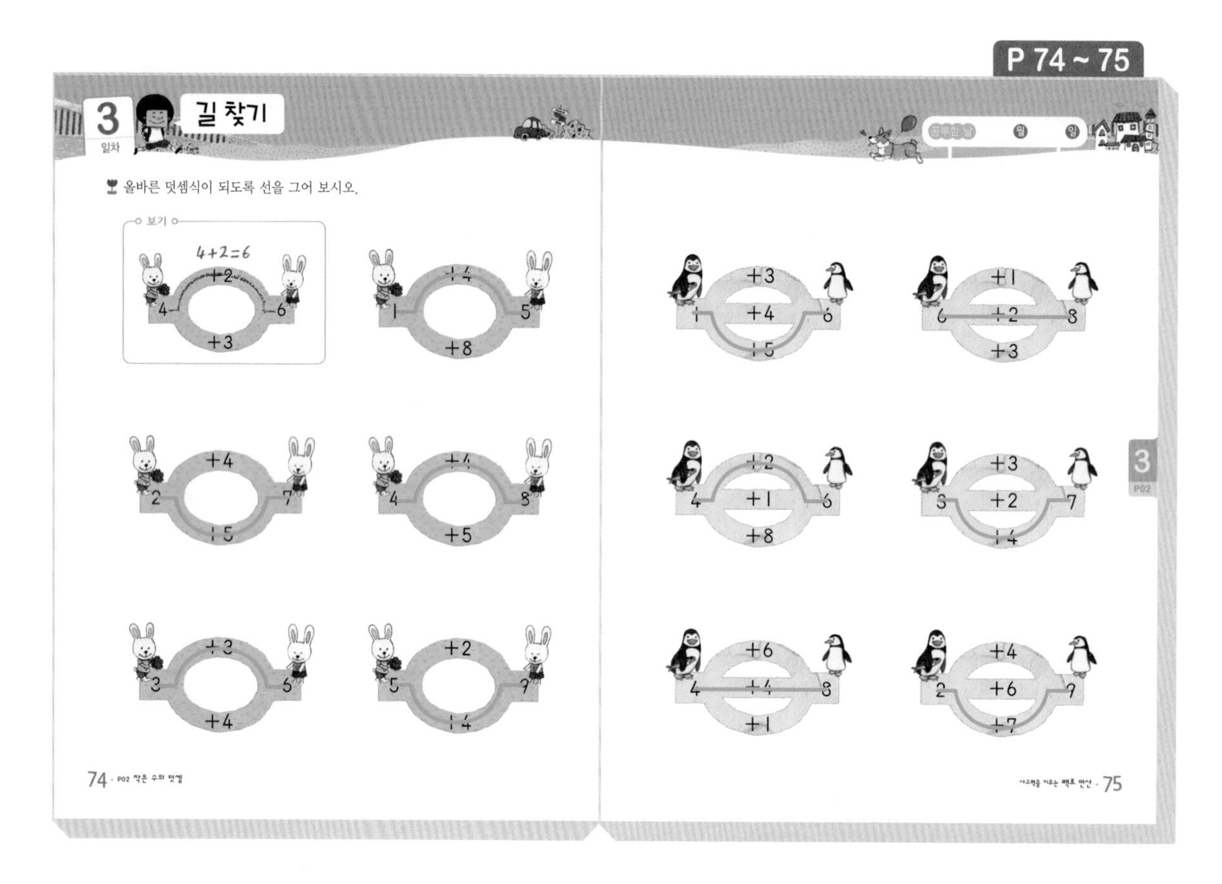
3 일차 길 찾기
올바른 덧셈식이 되도록 선을 그어 보시오.
보기
4+2=6
74 · P02 작은 수의 덧셈
75

P 76 ~ 77

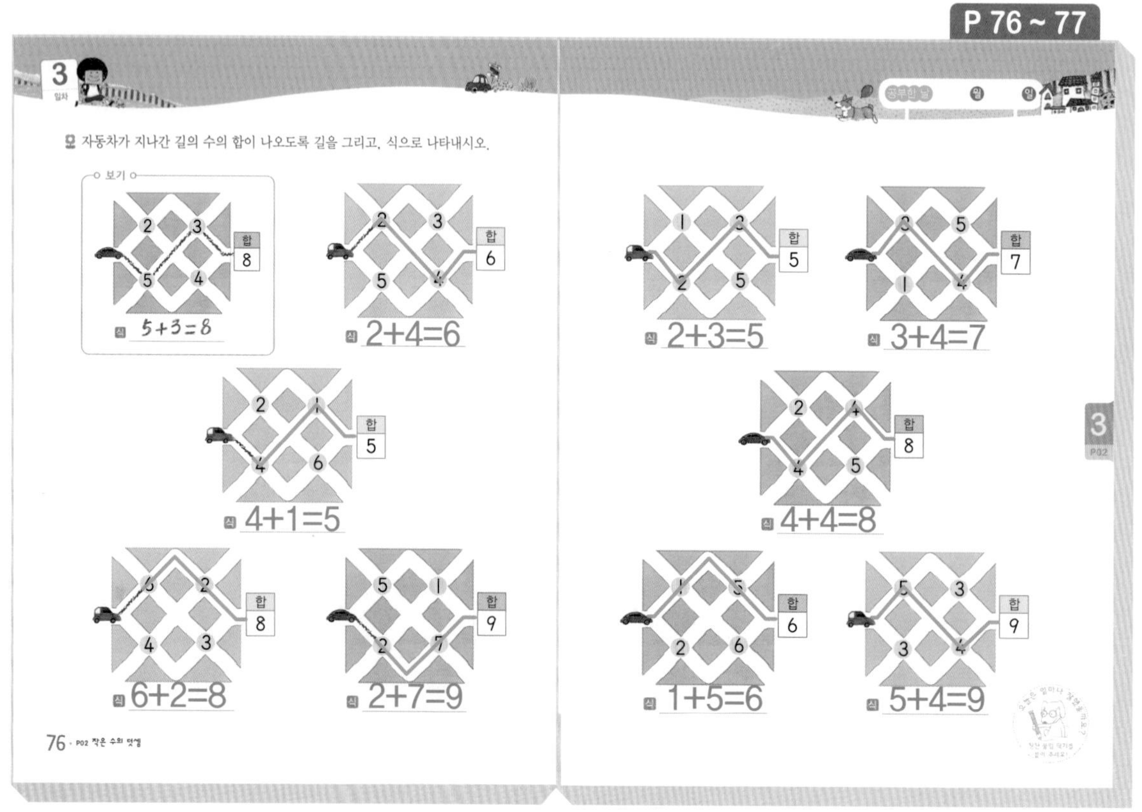
자동차가 지나간 길의 수의 합이 나오도록 길을 그리고, 식으로 나타내시오.
보기
5+3=8
2+4=6
4+1=5
6+2=8
2+7=9
2+3=5
3+4=7
4+4=8
1+5=6
5+4=9
76 · P02 작은 수의 덧셈

P02 정답

P 78 ~ 79

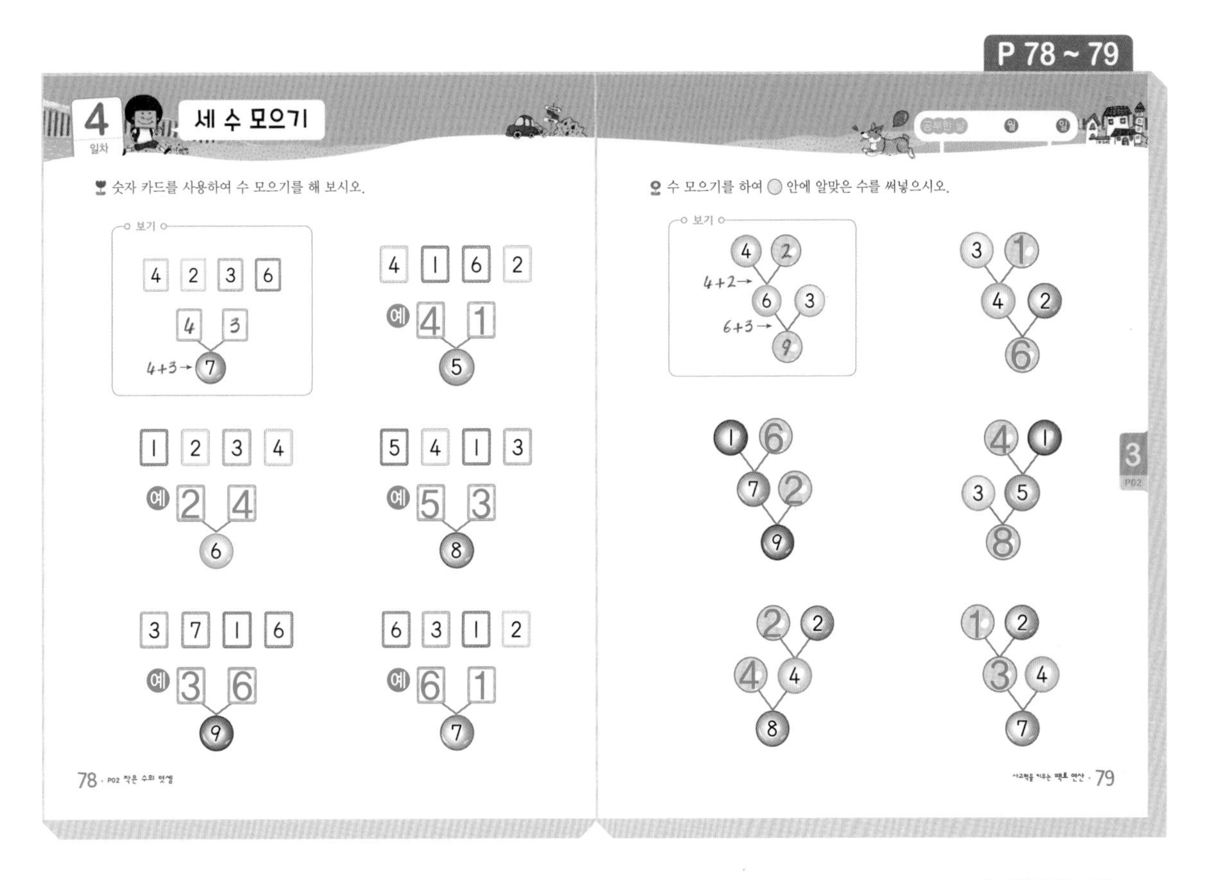

P 80 ~ 81

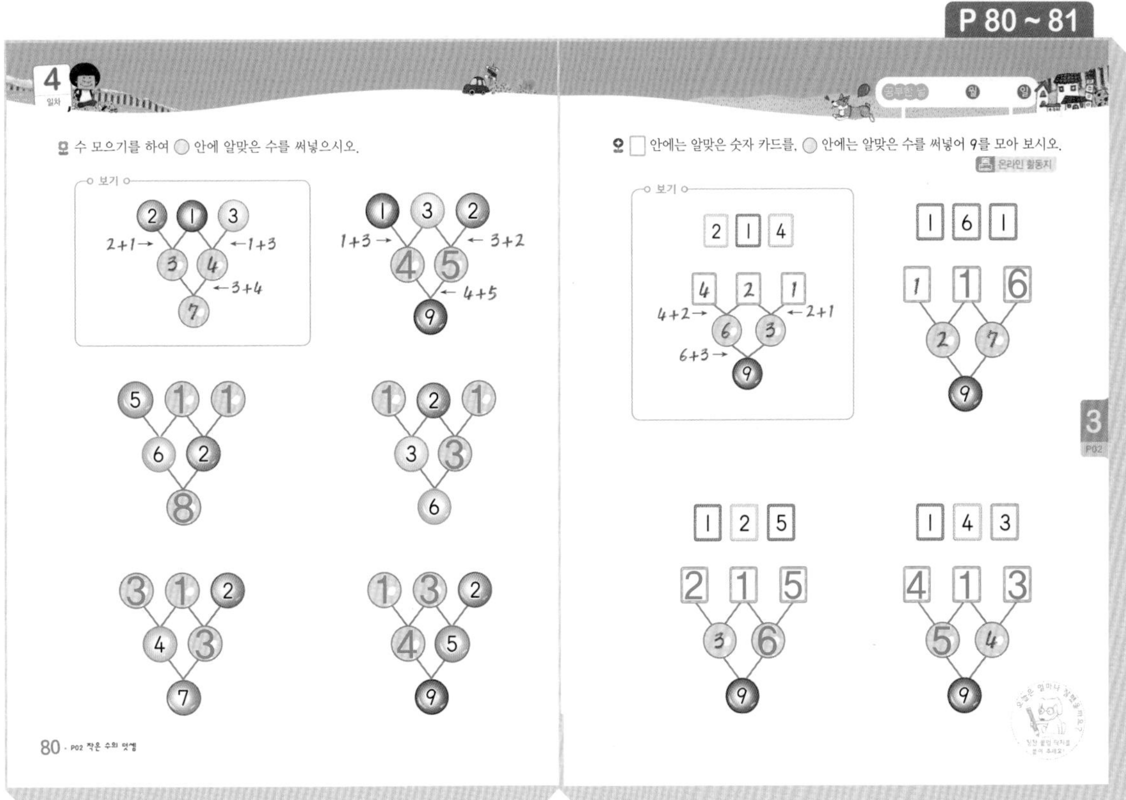

P 82 ~ 83

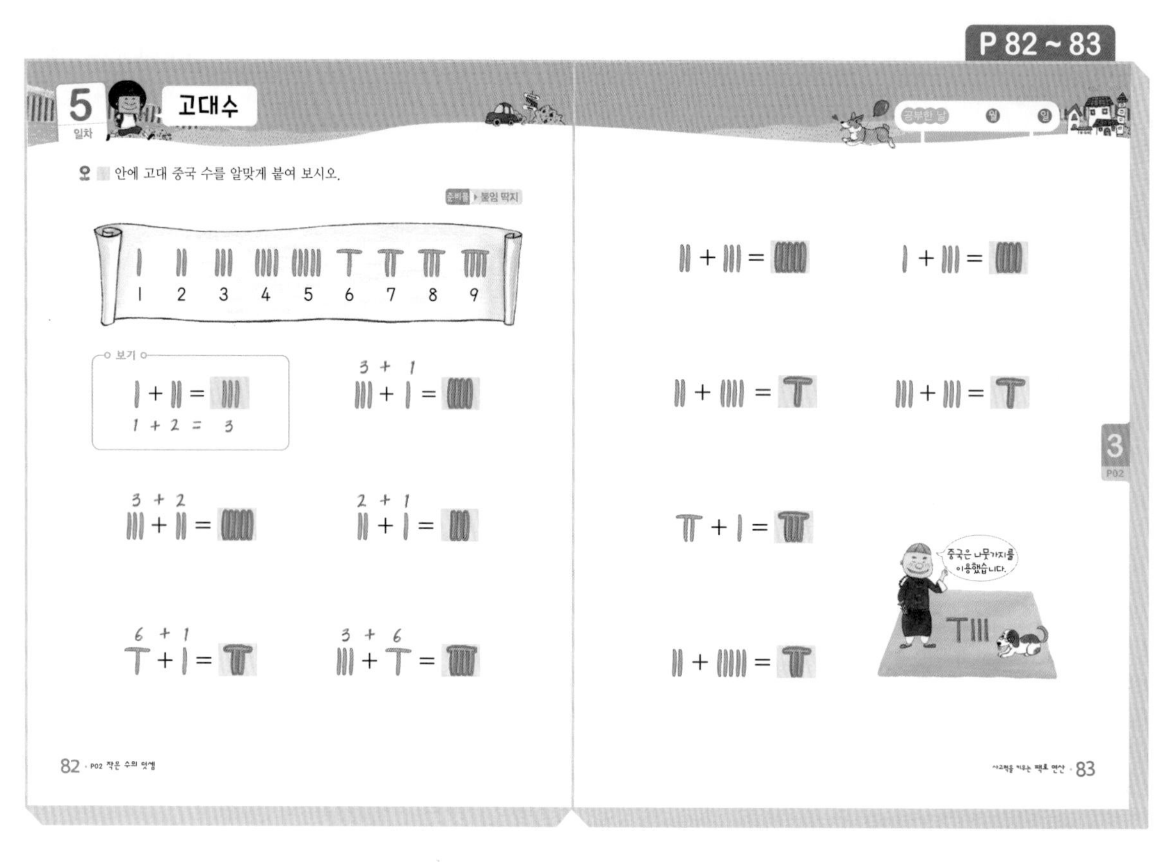

P 84 ~ 85

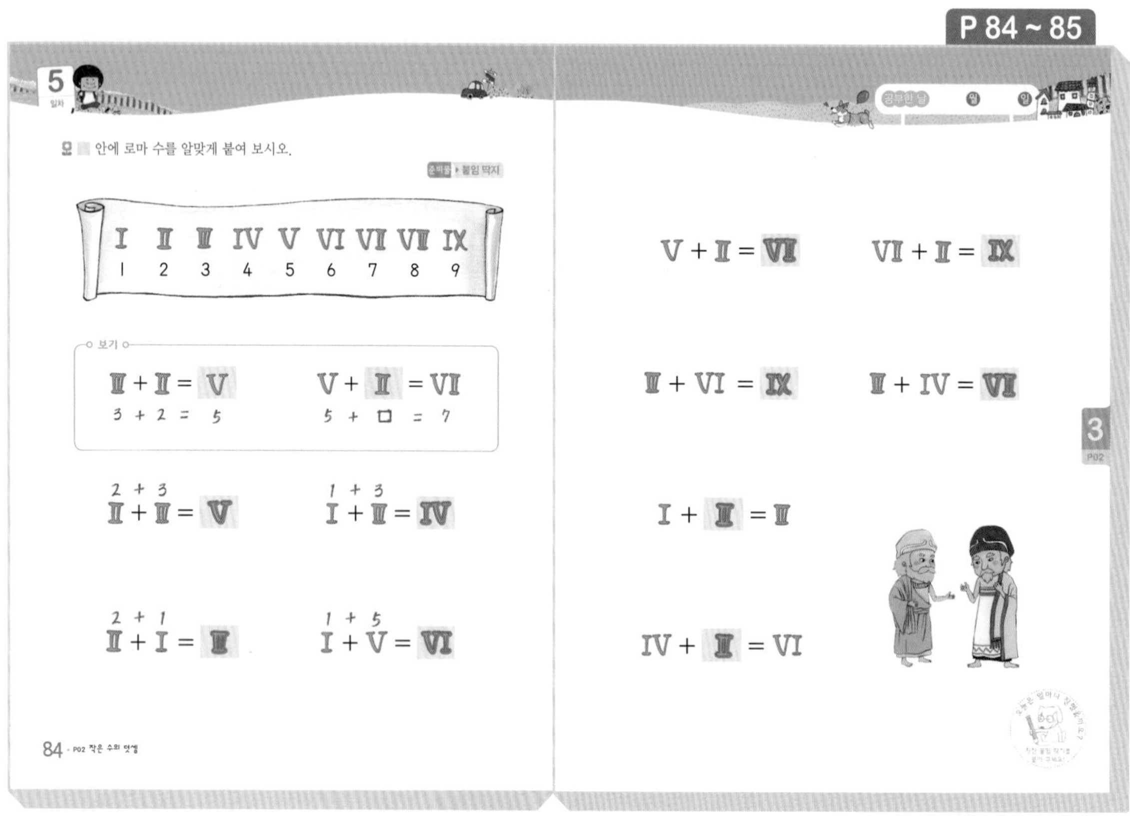

P02
정답

P 88 ~ 89

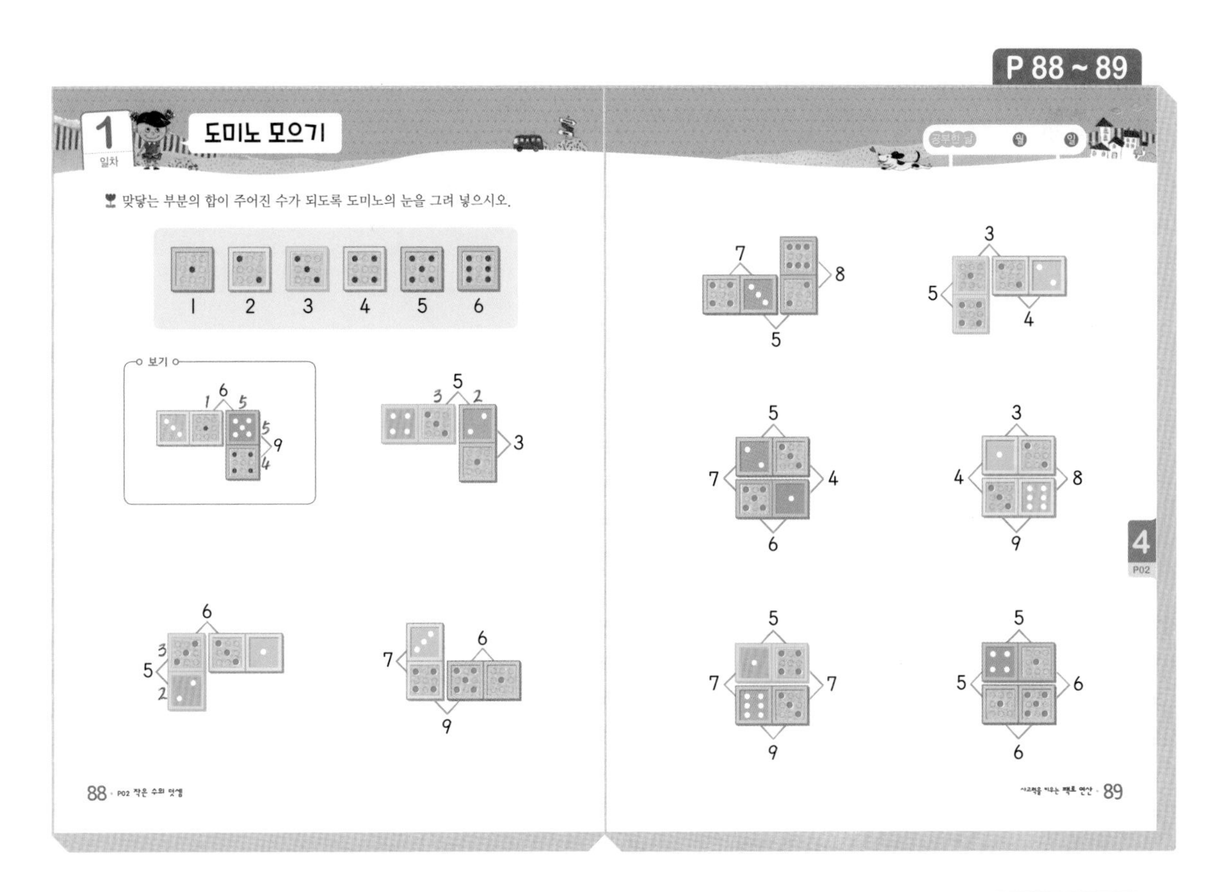
1 일차
도미노 모으기
맞닿는 부분의 합이 주어진 수가 되도록 도미노의 눈을 그려 넣으시오.
1
2
3
4
5
6
보기
88 · P02 작은 수의 덧셈
89
4
P02

P 90 ~ 91

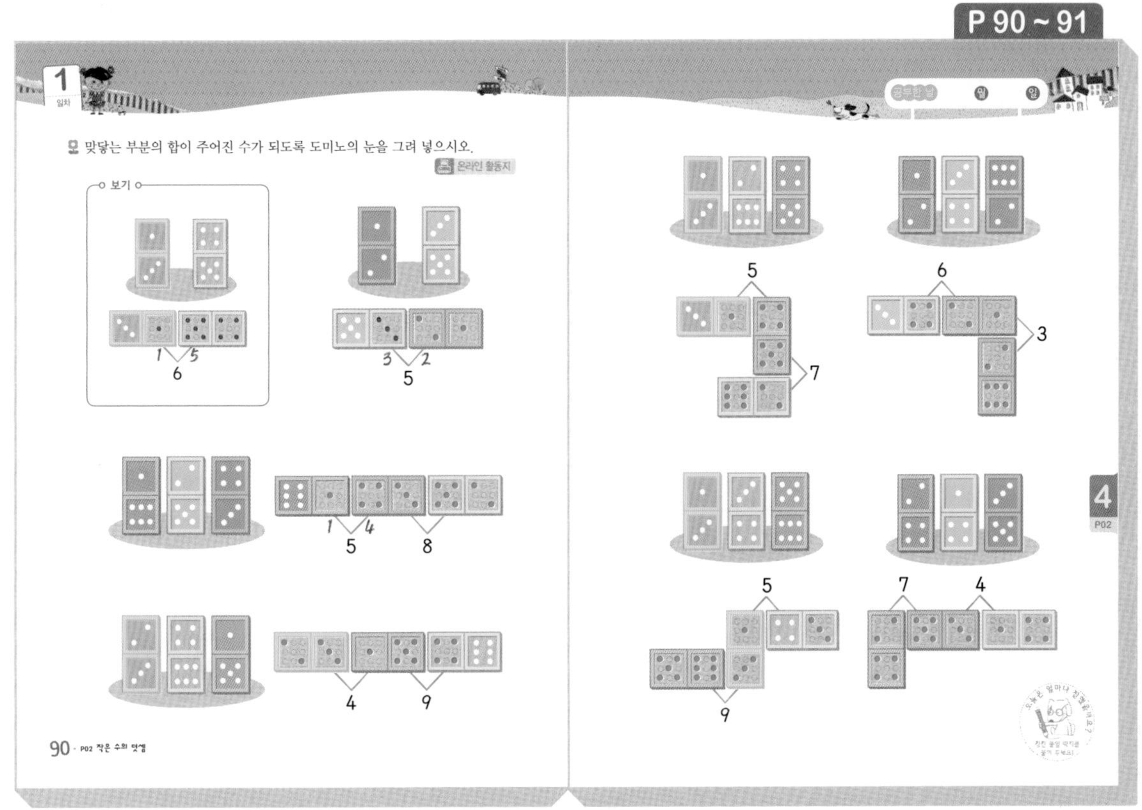
1 일차
맞닿는 부분의 합이 주어진 수가 되도록 도미노의 눈을 그려 넣으시오.
온라인 활동지
보기
90 · P02 작은 수의 덧셈
4
P02

P 92 ~ 93

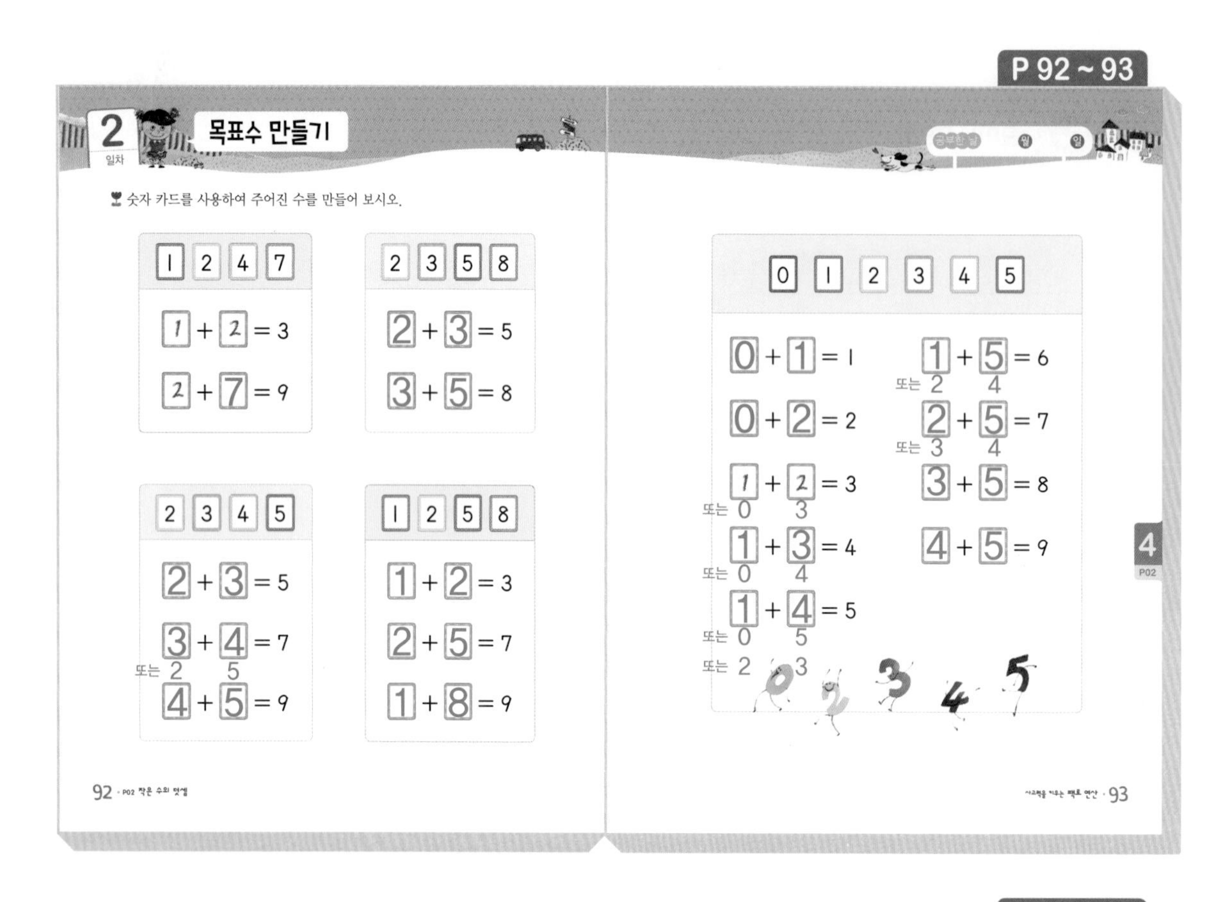

목표수 만들기
숫자 카드를 사용하여 주어진 수를 만들어 보시오.
1 2 4 7
1 + 2 = 3
2 + 7 = 9
2 3 5 8
2 + 3 = 5
3 + 5 = 8
2 3 4 5
2 + 3 = 5
3 + 4 = 7
또는 2 5
4 + 5 = 9
1 2 5 8
1 + 2 = 3
2 + 5 = 7
1 + 8 = 9
0 1 2 3 4 5
0 + 1 = 1
0 + 2 = 2
1 + 2 = 3
또는 0 3
1 + 3 = 4
또는 0 4
1 + 4 = 5
또는 0 5
또는 2 3
1 + 5 = 6
또는 2 4
2 + 5 = 7
또는 3 4
3 + 5 = 8
4 + 5 = 9
92 · P02 작은 수의 덧셈
93

P 94 ~ 95

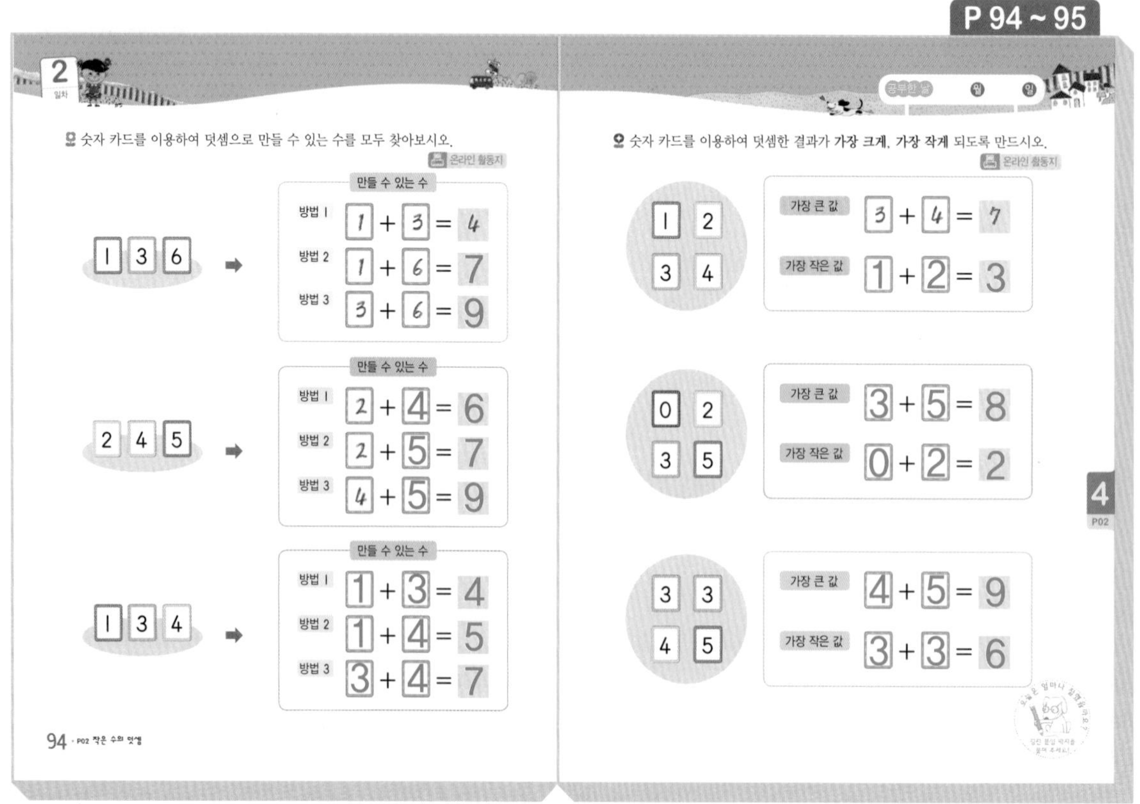

숫자 카드를 이용하여 덧셈으로 만들 수 있는 수를 모두 찾아보시오.
온라인 활동지
1 3 6
만들 수 있는 수
방법 1 1 + 3 = 4
방법 2 1 + 6 = 7
방법 3 3 + 6 = 9
2 4 5
방법 1 2 + 4 = 6
방법 2 2 + 5 = 7
방법 3 4 + 5 = 9
1 3 4
방법 1 1 + 3 = 4
방법 2 1 + 4 = 5
방법 3 3 + 4 = 7
숫자 카드를 이용하여 덧셈한 결과가 가장 크게, 가장 작게 되도록 만드시오.
1 2 3 4
가장 큰 값 3 + 4 = 7
가장 작은 값 1 + 2 = 3
0 2 3 5
가장 큰 값 3 + 5 = 8
가장 작은 값 0 + 2 = 2
3 3 4 5
가장 큰 값 4 + 5 = 9
가장 작은 값 3 + 3 = 6
94 · P02 작은 수의 덧셈

P 96 ~ 97

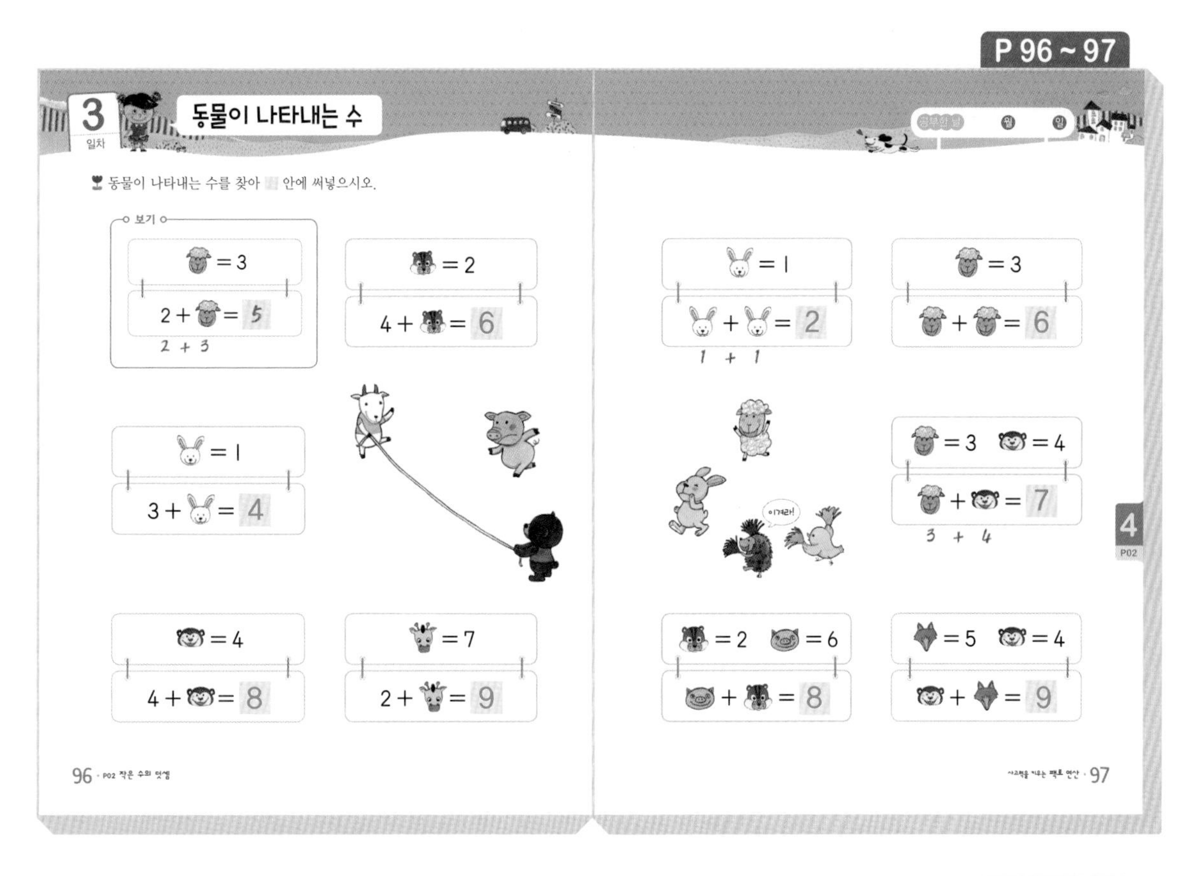
3 일차
동물이 나타내는 수
동물이 나타내는 수를 찾아 안에 써넣으시오.
보기
= 3
2 + = 5
2 + 3
= 2
4 + = 6
= 1
3 + = 4
= 4
4 + = 8
= 7
2 + = 9
= 1
+ = 2
1 + 1
= 3
+ = 6
= 3 = 4
+ = 7
3 + 4
= 2 = 6
+ = 8
= 5 = 4
+ = 9
96 · P02 작은 수의 덧셈
사고력을 키우는 팩토 연산 · 97

P 98 ~ 99

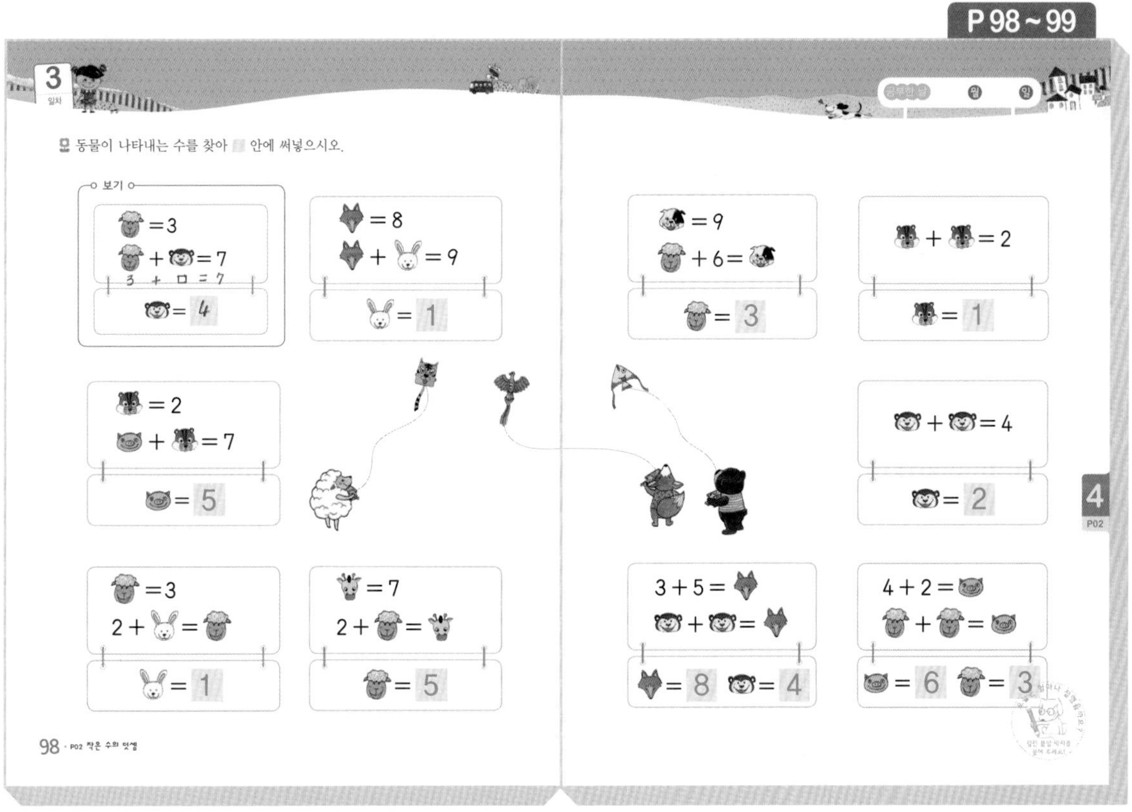
3 일차
동물이 나타내는 수를 찾아 안에 써넣으시오.
보기
=3
+ =7
3 + □ = 7
= 4
= 8
+ = 9
= 1
= 2
+ = 7
= 5
= 3
2 + =
= 1
= 7
2 + =
= 5
= 9
+ 6 =
= 3
+ = 2
= 1
+ = 4
= 2
3 + 5 =
+ =
= 8 = 4
4 + 2 =
+ =
= 6 = 3
98 · P02 작은 수의 덧셈

P 100 ~ 101

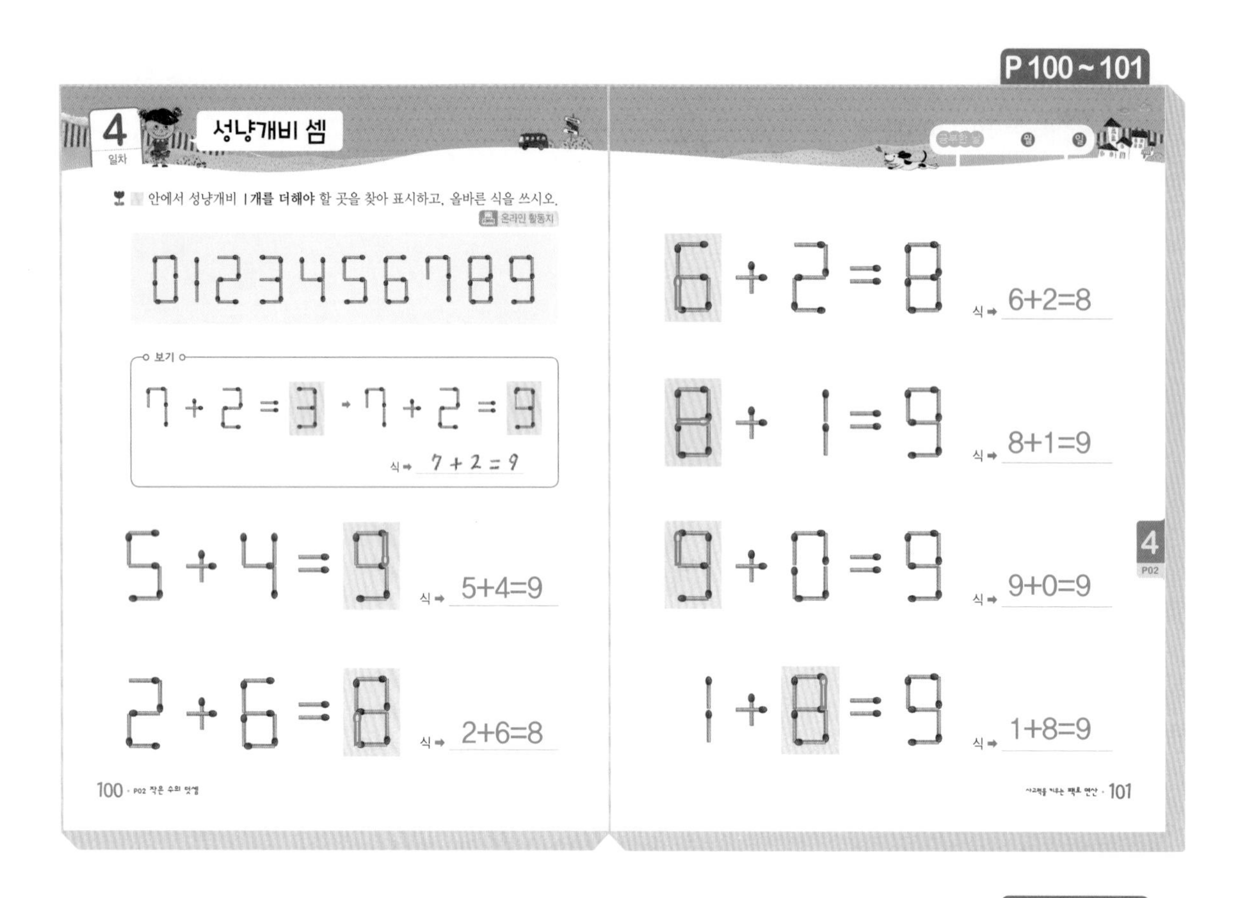

4 일차
성냥개비 셈
안에서 성냥개비 1개를 더해야 할 곳을 찾아 표시하고, 올바른 식을 쓰시오.
온라인 활동지
보기
식 ➡ 7 + 2 = 9
식 ➡ 5+4=9
식 ➡ 2+6=8
식 ➡ 6+2=8
식 ➡ 8+1=9
식 ➡ 9+0=9
식 ➡ 1+8=9
100 · P02 작은 수의 덧셈
101

P 102 ~ 103

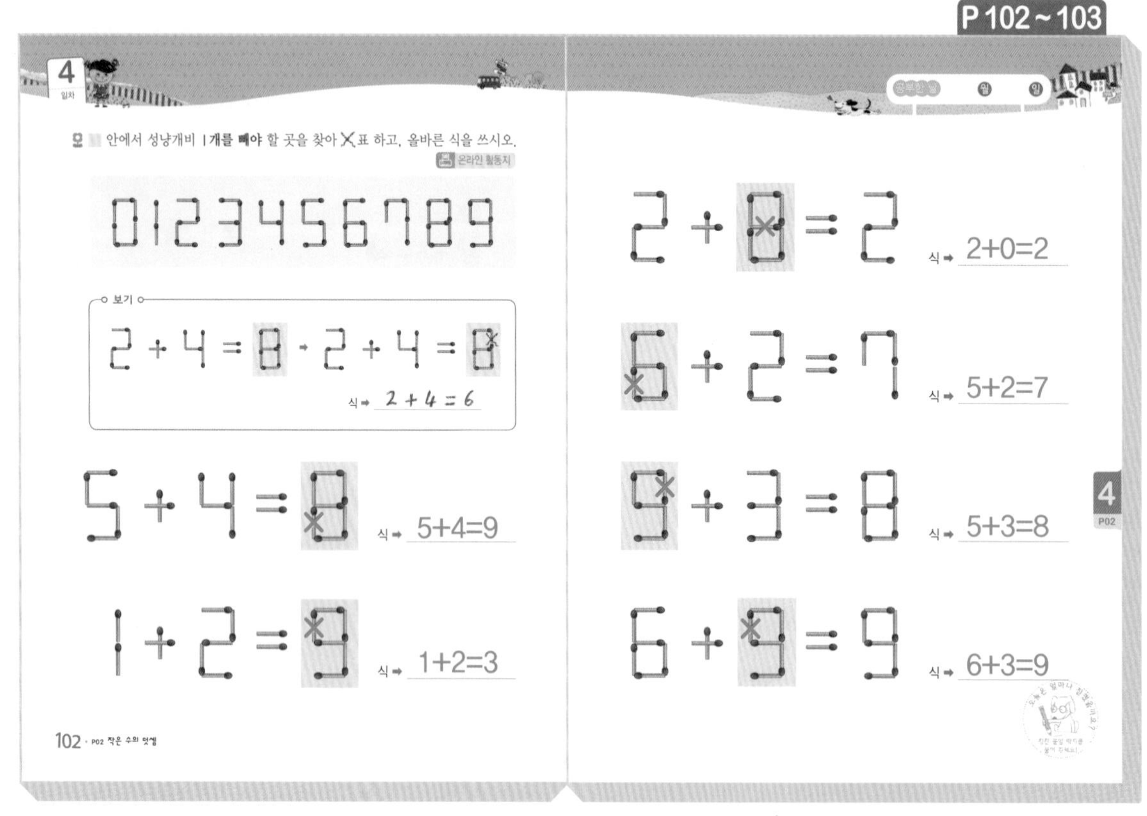

4 일차
안에서 성냥개비 1개를 빼야 할 곳을 찾아 ✕표 하고, 올바른 식을 쓰시오.
온라인 활동지
보기
식 ➡ 2 + 4 = 6
식 ➡ 5+4=9
식 ➡ 1+2=3
식 ➡ 2+0=2
식 ➡ 5+2=7
식 ➡ 5+3=8
식 ➡ 6+3=9
102 · P02 작은 수의 덧셈

P 104 ~ 105

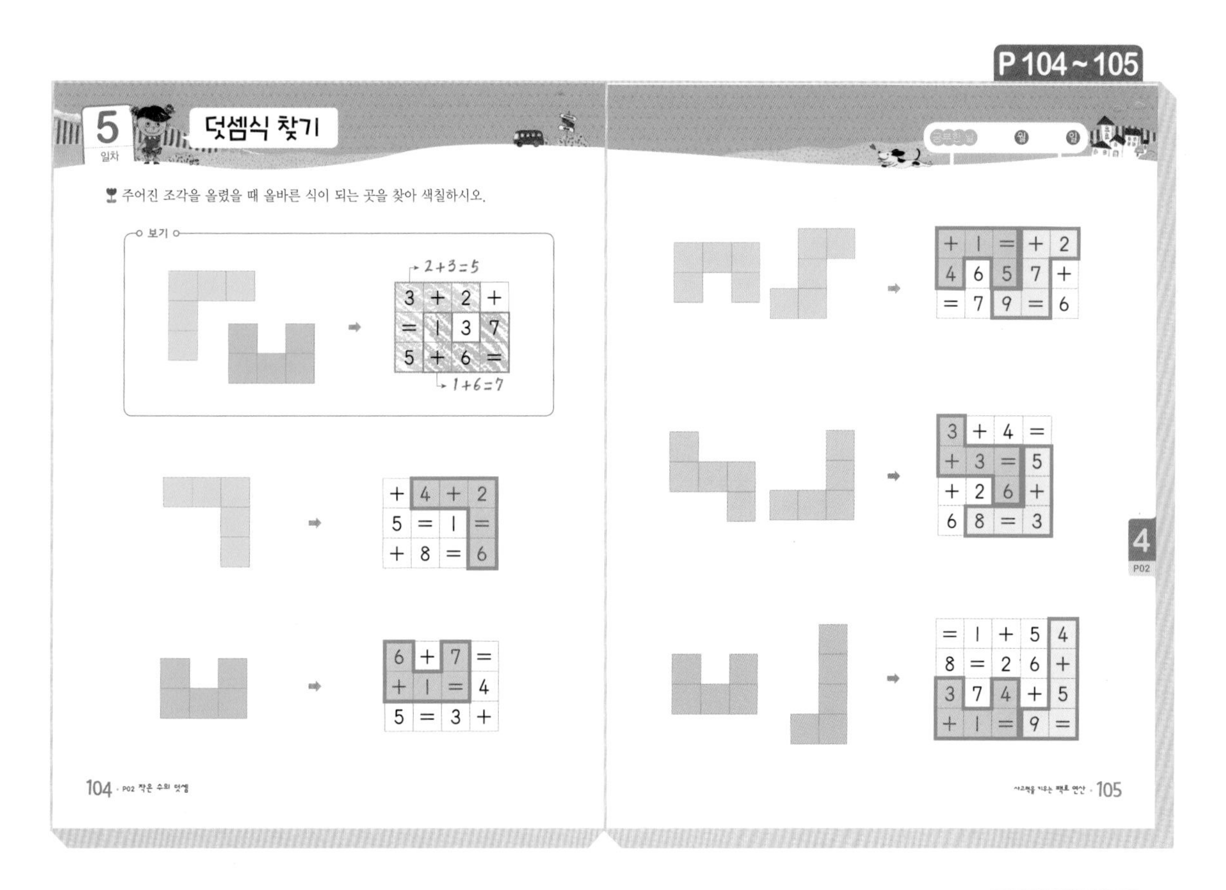

5
일차
덧셈식 찾기
주어진 조각을 올렸을 때 올바른 식이 되는 곳을 찾아 색칠하시오.
보기
2+3=5
1+6=7
104
105

P 106 ~ 107

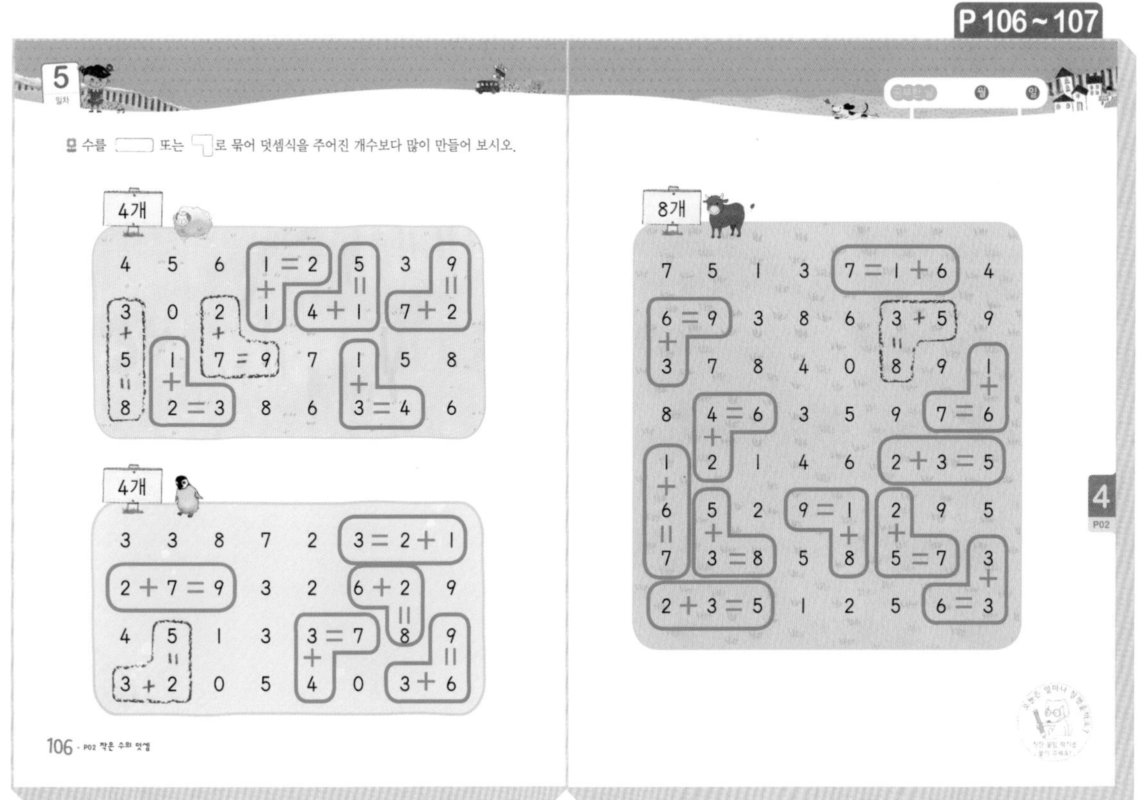

memo

상 장

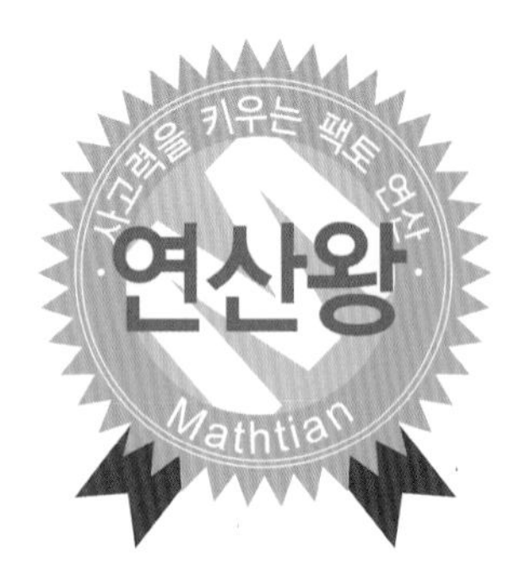

이 름 : ____________

위 어린이는 **팩토 연산 P02권을**
창의적인 생각과 노력으로 성실히
잘 풀었으므로 이 상장을 드립니다.

20 년 월 일

매스티안

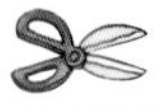

위 상장은 8"*10"(20.3*25.4cm)액자에 넣을 수 있도록 제작하였습니다.

본 책을 마친 아이들에게 위 상장을 수여하며 아낌없는 칭찬과 힘찬 박수를 보내 주세요.
아이들은 칭찬을 받으면 받을수록 수학에 대한 자신감이 더 생길 것입니다.